U0439894

林慶彰 總策畫

民國時期稀見期刊彙編

第一輯

文學科研究年報③

臺北帝國大學研究年報

第廿七冊

臺北帝國大學文政學部

文學科研究年報

第三輯

臺北帝國大學
文政學部 文學科研究年報 第三輯

目次

佛蘭西派英文學の研究

——オーギュスト・アンヂュリエの業績——

島田謹二

目次

緒　言

[illegible]に云ふ佛蘭西派英文學とは、千八百八十一年十月巴里大學文學部(ソルボンヌ)[illegible]語英文學講座の始めて設けられたのをきつかけにして、爾來、躍進的に特色[illegible]的研究は現代の文學研究法の精髓を摑んでゐると確信されるまでに卓抜優秀な多くの業績を擧げて來た佛蘭西學徒——特に大學關係者——の英文學研究の精神と成果とを總括的に指し示す言葉なのである。然らば、すでに英吉利本國に於てすぐれた研究を公けにした諸學匠の努力の結果を、今日、容易に攝取しうる立場にある筈の我國の學徒が、何故なれば、畢竟するに外國人ヽ手に成つたこの派の研究書を參照する必要があるのか。さうした問ひに對しては、余も既に他の機會に於て然るべき理由を述べておいたから、ここには改めて觸れる必要を認めない。更にまた佛蘭西派英文學の成立過程とその一派の代表的な學匠の業績とに就ては、その大要の論述を終つてゐる。ソルボンヌ派の始祖アレクサンドル・ベルヂャム(Alexandre Beljame)と今日の代表者ルイ・キャザミアン(Louis Cazamian)と

のことを述べた余の前文が、這般の事情の概略を報じてゐる筈だからである。

(註)＊「現代佛蘭西の英文學研究」(「英語研究」三百號紀念號)、「ベルヂャム教授の業績」(「英文學研究」第十五卷第三)、「キャザミアン研究」(「試論」第一號)、「佛蘭西派英文學研究書誌」(「試論」第三號)等參照。　但し後の二論は、種種な理由で改訂增補すべき箇所の小なからぬのを遺憾に思ふ。

それ故、余の研究は、おのづからなる歸結として、或時はソルボンヌ派と對峙しつつ、或時はまたそれと渾融しつつ、つひに今日の佛蘭西派英文學に於ける中心的研究法をかたちづくつたリール(Lille)派のことに及ばねばならぬ。　さうしてリール派のことを語るのは、畢竟するに、その始祖たるオーギュスト・アンヂュリエ(Auguste Angellier)を詳說する事になるのではないか。　思ふに『ロバート・バーンズ研究』の著者の名は、すでにわが國の學界にも傳承し、一二の先進の所論の中にも語られてゐるが、その業績と學風とに就ては、未だ眞核を明らかにされたとは見做し難い。　これは本國に於てさへ未だ纏つた研究書の單行されたもののなき現狀に於ては、無理もなきことと考へられるが、此學匠の事業と意義とは、佛蘭西派英文學研究史の上に逸すべからざるものであるし、且は今後の我國に於ける英文學徒の研究態度の上にも有力な反省を促すべき資料とも信せられるのであるから、筆者は敢て浩翰な原典に考へ、零細な史實を辿り、點在する同僚門弟の記事を漁つて、以下の小論を草することにした。 ひとへに願ふところは、此短文が、一佛蘭西英文學者に關する閑文字に終ることなく、今日の學界に於ても尙ふくむところの意味深き、若干の根本問題に觸れ、且つその解決方針の一二を示唆しえむことにある。 語つて詳かならず、論じて盡さないうらみ多きは、誰よりもよく余の知るところ。 あらかじめ深謝の意をいたす所以である。（昭和十一年五月三日。）

第一節　學匠以前

オーギュスト・アンヂュリエは、千八百四十八年七月一日、佛蘭西ノール(Nord)縣ダンケルク(Dunkerque)に生れたが、早く父を失つたので、少年時代は英佛間の連絡海港として人も知るブーローニュ・スュール・メール(Boulogne-sur-Mer)〔パ・ド・カレー(Pas-de-Calais)縣〕で送つた。終生の友であつたルイ・オヴィオン(Louis Ovion)の追憶によると、ブーローニュ・スュール・メールの縣立中學(Collège)では、通學生の一人で、多くは教養の十分にない教員に指導されたため、嚴格な訓練を知らずに終つた。「彼の教師は、一人として、校則を彼に強ひることが出來なかつた。罰則を課すことも出來なかつた。それにまた彼は明確な判斷力をもつてゐたので、苟もその知識なり心情なりを尊敬しうるものでない限り、決して教師を重んじなかつた。」現に當時の教員のうち、その講義が興味を惹いたため、彼が眞面目に傾聽したものは、僅に三人しかゐなかつたといふ。 さうした正規な課程よりも、アンヂュリエはかへつて勝手に自分の好むものに耽つてゐたが、興味さへ湧けば、容易に首席を占め、しかも同輩を遙かに追ひ拔くことも屢〻であつた。 それに通學生であつたため、交友關係では、自然多くの級友と交はる機會がなかつたけれど、稀に交はる時には極めて親しい間柄になつたと傳へられる。〔尙、ブーローニュ・スュール・メールの中學は、彼の直後に、レオン・モレル(Léon Morel)、ヂュール・ドゥロキニ(Jules Derocquigny)、ワルテル・トマ(Walter Thomas)の三人を斯界に送つて、佛蘭西派英文學研究史上に輝かしい功績を示してゐる。〕

アンチュリエの生涯を貫いてみられる「自然」に對する熱愛と、ひとり「自然」の中に孤獨を樂しむこころとは、早く此少年期に於て養はれたのである。 卽ち、彼はブーローニュ時代から附近の野山を跋渉し、また時としては孤身(ひとり)リアーヌ(La Liane)河に船を浮べ、或はまた薄暮に乘じて市の廢墟をさまよひながら、眼下の大海と周圍の連山とがたえすその水聲風色を異にする眺望をほしいままにして樂んでゐた。 かくのごとく、「自然」に對する時、彼が全くひとりで赴いたのは、どれほど親しい間柄でも、おのれと異る感性の人が傍にゐれば、氣持の搔き亂されるのを避けたからで、彼はひとへに獨自の印象を求め、それをしみじみ味ははんとしたのである。 後年ロバート・バーンズ(Robert Burns)の研究の中で彼があれほど精細に自然感情を描寫し分析しえたのも、實は少年時代のかかる體驗が前提にあつたからである。

アンヂュリエは、ブーローニュよりパリに上つて「ルイ大王中學」(Lycée Louis-le-Grand)に轉じた。佛蘭西派英文學の始祖たるアレクサンドル・ベルヂャムは、すでに千八百六十四年以來ここに英語の教鞭を執つてゐたが、彼等二人の間には、この中學に於ける數年の後輩エミール・ルグイ(Emile Legouis)とベルヂャムとの間のやうに、師弟の關係は成り立たなかつたのである。彼はかへつてレコル・ノルマル(L'École Normale Supérieure)の出で、當時そこに哲學を教授してゐたエミール・シャルル(Émile Charles)の愛情に浴した。シャルルは、後、教育行政方面に轉じて、千八百七十四年にはクレルモン・フェラン(Clermond-Ferrand)大學總長、千八百七十八年にはリオン(Lyon)大學總長の要職を占めた人であるが、アンヂュリエは、生涯、その厚い庇護の下に生ひ立つた。卽ち、彼の主著『ロバート・バーンズ研究』の卷頭に、うやうやしく此長者への獻辭を掲げた所以なのである。

アンヂュリエの生涯は中學卒業の頃から漸く明らかとなつて來る。今日、彼の義弟マルセル・ローランヂュ(Marcel Laurenge)の所藏するノート・ブック十四冊は、彼が十九歳となつた千八百六十七年八月十四日に始まり、五十六歳を迎へた千九百四年九月二十五日に終るもので、時にその行實と心情とを非常に詳細に語るかと思ふと、忽ち全く空白な數箇月がつづくなど、斷續きはみないさうであるが、そのノート・ブックから三四抄出された記事〔Cf. "*Le Cahier Angellier*" (Décembre 1930): p. 8〕によると、普佛戰役直後の動靜からドゥエー(Douai)大學に講師として赴くまでの行程がほぼ要を盡して辿りうるのである。―― 卽ち、アンヂュリエは、ルイ大王中學の業を卒へた後、レコル・ノルマルに入るつもりであつたらしいが、早くより英文學に特殊な嗜好をもつてゐたところから、千八百七十年、つひに「シェイクスピアを讀むため」(afin de lire Shakespeare)、ロンドンに向ひ、ここで專心攷學中、普佛間の戰端が開かれたので、二十二歳の彼は急遽歸佛し、志願兵となつて、リオン警備の工兵第八聯隊の一員に編入された。 その年の嚴冬十一月、たまたまリオンからボルドー(Bordeaux)に向けて進軍中、被るに衣なく、食ふに糧足らぬ窮乏の中に、激烈な氣管支炎を病んで、あやふく絶命せむとした。 實はボルドーに辿りついたのが、月の七日で、間もなくその重病のために、彼は或尼寺附屬の病舍(Hôpital des Sœurs de la Conception)に收容されたのである。 當時の生活の一部は「アンヂュリエ手記」(*Carnet Angellier*)千八百七十一年二月十六日の條に寫されてゐる。院主はMère de Sainte-Angeと呼ばれた高貴な修道女の典型で「天使のやうな威嚴と靜穩と」を兼ね備へ、その指圖の下に病兵は手厚い看護を受けた。アンヂュリエはここで閑餘をぬすんで始めてボッシュエ(Bossuet)を讀み、また「テレマック」(*“Télémaque”*)を再讀した。二月二十一日には宗論家として高名なルイ・ヴイヨー(Louis Veuillot)が巡回慰問に來たので、當時獨逸軍に包圍されてゐたパリの情勢を聽き、大統領ティエール(Thiers)將軍トロシュー(Trochu)等の人物觀を問ひ、プロシャ兵の軍規に關して面白い意見をひき出すことが出來た。そのために此日の手記は、かかる陰慘な日の前後にたえて見ない明るい言葉で、閉ぢられてゐる。そのうち三月に入ると重病も漸く癒え、此病舍を立ち去ることになつた。別離に臨んで、彼は、靜寂と聖愛とのうちにいひしらぬ愛情をめざましたこの尼寺の生活を回顧し、一尼僧の小机に題した思ひ深げな文章をその日錄の中に留めてゐる。三月十四日のことである。

パリに出てみると、コムミューン(Commune)の大亂最中で、兵士の服裝をつけてゐたアンヂュリエは、ここでも新らしい危險にさらされた。思ふに此大亂は彼に切實な教訓を與へ、その生涯の思想に一大轉機を及ぼしたのではないか。卽ち、一度敵軍に侵されたとき、國民の思想がいかなる點まで頽廢するか、科學と鐵火との組織に對しては時代遅れの痙攣的な努力がいかに空虚なものにすぎないか。――さうした重大な戰訓は、彼の此際身に沁みて體感したところであつた。その感動は、單行處女作『ローランの歌の研究』(“*Étude sur la Chanson de Roland*” (conférence faite à Boulogne-sur-Mer, le 24 février 1878. Paris, *L. Boulanger*, 1878, plaq. in-12 de 82 pp.)、第二作『アンリ・ルニョーの研究』(“*Étude sur Henri Regnault*” (avec une eau-forte par Paul Langlois. Paris. *L. Boulanger*, 1878, plaq. in-12 de 100 pp.)のなかに鮮やかに錄されてゐる。即ち、前者は、他の諸國の敍事詩(エガス)がすべて勝利を祝(こと)ほぐのに、佛蘭西の大敍事詩のみ敢て敗北者を祝ほぐ理由を説いて、それは此敗北者が名譽を以て打ち倒れたからだとし、それがまた佛蘭西文學史の一特色で、あはせて佛蘭西人の騎士道的精神を光榮あらしめる所以だといふ極めて奇警にしてまた極めて心理的な講演であり、後者は若い才能ある藝術家、すでに立派な仕事によつて將來佛蘭西の美術に新らしき光榮を加へんとしてゐたひとが、祖國への愛のために戰場に赴き、しかも合戰が終つたのに運命のたはむれによつて流れ彈(だま)にあたり落命する悲壯な生涯の事業を説いた講演を骨子とせるものであるが、われわれは此二作を通じてアンヂュリエの大戰より受けた教訓の内容を推察することが出來る。一言で掩へば、アンチュリエは此時、大戰以前に主潮をなしてゐた所謂「無感無覺派」——即ちテオフィル・ゴーティエ(Théophile Gautier)やギュスターヴ・フローベール(Gustave Flaubert)等の文學の中に缺けてゐたものをはつきりと體感したのである。ビュザンヴァル(Buzenval)の戰ひで、その才能の明らかとなつた二十八歳を一期として、銃丸に打たれて死んだ畫人ルニョーのことを說く一節に、彼は國家の受けた悲哀は、個人を變革して、藝術家を一變せしめることがあらう。……彼の才能は更に强烈・單純・悲壯・崇高なものになるかもしれない」と述べてゐるが、これぞ大戰の教訓を受けたアンチュリエの心情を證すものである。恐らくこの悲痛な受難期が訪れなかつたならば、彼は高踏派の一員となつたか、少くとも此派に近しい關係をもち、かかる大亂最中にも孤獨のうちにひとり「藝術」を崇拜する作家となつたのではないかと考へられる。加ふるに彼はこの確信の結果、大戰亂直後の佛蘭西文壇一般に漲り溢れてゐた厭世思想の波にまきこまれることを免れたのである。それには、勿論、彼の青春と生命力の横溢とが與つて力あつたことも擧げなければならぬ。アンチュリエは、此戰敗の結果、佛蘭西に新らしき生のめぐり來ることを信じ、當時未だその前途のさだかでなかつた新共和國の下に、國家改造の業を輔けんとして、定期刊行誌に筆とる一員となつた。すなはち「レヴェーヌマン」("L'Événement")誌、つづいて「ル・タン」("Le Temps")誌が彼のためにその誌面を提供したのであつた。

ヂャーナリストとして戰ふ前に、アンヂュリエは、戰亂直後の夏イングランドに再び渡つて、小學校の佛語教師を勤めたことがある。千八百七十一年八月一日ブラックヒース・ヒル(Blackheath Hill, East House)で記した日記が當時の心境を物語つてゐる「今日はじめてイギリスでの一日を終つた。終日、學校、授業。子供に讀み、書き、計算をさせる。昨年のやうに佛蘭西語少少。より多からず、より少なからず、復習させる。かうして日日の糧を獲る。未來は不安だ。」此生活は翌年春までつづけられ、千八百七十二年にはパリに戻つて、母校ルイ大王中學の補助教師(répétiteur)となつてゐる。この位置は、いはば雨やどりのため大きな門の下にただずむやうなもので「一刻も早く立ち去りたいと思つてひきうけたもの」であつたが、翌七十三年には、その三月十一日の日記に「再びイングランドに渡る」とあるとほり、グリニチ(Greenwich)小學校の佛語教師の資格で三たび渡英し、七十四年五月にまで及んだ。丁度ヴィクトーリア(Victoria)朝の全盛期であつた。――「若いお孃さんがみんなテニスン(Tennyson)を讀んで、新らしい菫の美しいにほひを嗅ぎ、その美しい眼を大空に向ける、一ポンドのレッド・ビーフ(red beef)を食べ、一パイントの麥酒(ビール)を飲みながら。實はそのすぐ後に、これを消化するため、詩集をよみ、花束をかぎ、眼をむけながら、ミルク入りのお茶を六杯、バタつきのサンドウィッチを十二取るのだけれど」といふ時代である。　若いアンヂェリエも、さうした雰圍氣の中(なか)で、某イギリス女性とベケナム(Beckenham)を散歩しながら、ヘリック(Robert Herrick)流の mièvrerie を弄したりしてゐる「千八百七十四年五月二十日」。

その年英語の最上級國家試驗(アグレガシオン)(agrégation)に優秀な成績で登第したアンヂュリエは、パリのシャルルマーニュ中學(Lycée Charlemagne)の教授に任ぜられ、七十八年にはフォンターヌ中學(Lycée Fontanes)に轉じて、身分も漸く安定するやうになつた。　此パリ生活の間に、彼は多くの美術家と交はり始めた。　造形美術に對する趣味は、すでに早くから發してゐたが、此頃になつて畫人エーメ・モロー(Aimé Morot)彫刻家ローラン・マルケスト(Laurent Marqueste)ヂャン・アンヂャルベール(Jean Injalbert)等とは、殊に親しい交はりを結ぶやうになつた。　思ふに彼の前歴たる時論的ヂャーナリストに必要なあまりにも抽象的な言葉の使用法に對し、かかる美術家達の直截・磊落・簡潔な用語といひ、想念に色彩と輪廓とを與へんとする本能的努力といひ、ともに善き效果をもたらしたのではあるまいか。此仲間に入つて、はじめてアンヂュリエは自分の天分が眞の世界を見出したやうに思つたらう。彼の造形美術に對する熱愛は、生涯を通じて持續され、博物館・美術堂への巡禮はその生涯のたのしみてあつたが、つひには自己の部屋をも美術品で埋めるまでになつた。その部屋に溢れ、廊下を侵し、戸口を塞ぎ、卓子を掩ひ、椅子を占め、戸棚に溢れた品品は、彼の家をして、まるで骨董店の觀さへ呈せしめたといふ。これほどまで愛慕せる美術に對して、彼はいかなる造詣をもつてゐたか。彼は單なるアマトュールに過ぎなかつたらうか。それを究めるには、前述のアンリ・ルニョーに關する小冊子を讀むがよい。アンチュリエの中にある散文家としての天分は、ここて十全に發揮されることになつた。描寫と敍述との力と美とは、人をしてはるかにフロマンタン(Eugène Fromentin)の文を想起せしめる。ことに著者が畫人をデッサン本位の人、光線本位の人、色彩本位の人と區別する一節など、異常に豐富な言語による分析の精緻さで、アンヂュリエ獨特の美學をはつきりと展敍してゐる。高踏派(パルナシャン)作家への攻擊については既に一言觸れておいたが、この著書を通じて見られる彼の批評的立場は、極めて廣い意味に於てではあるが、實にはつきりしたクラシシストのそれであつた。アンヂュリエは、どれほど近代風な特色(特にルニョーのそれなど)に心を惹かれても、古典的な簡素な形式への愛を決して忘れない。彼の立脚地は、古名匠の立言によつて支持されるそれであるさうした高處から彼は近代人を批判してゐるのである。即ち、簡素を忘れた當時の奇矯とひたすら異國的な美のみに對する當時の熱狂とは、批評家アンヂュリエの飽くまでも嘲るところのものであつた。

千八百七十九年、彼はロンドン滯在の留學生の資格で、第四回目の渡英をしてゐる。その年一月二十六日、日曜の朝にはロンドンの公教寺院でカーディナル・マンニング(Cardinal Manning)の説教を聽聞した。美美しい衣裳に飾られた威風堂堂たる大僧正が眼もあやな姿で現はれ、説敎壇の上に立つのを見ては、東邦の古帝國の僧侶を見る思ひがしたと述べてゐる。「不幸にして説教は、衣裳のやうに輝かなものではなかつた。」「語調からしてみても、それは聽衆の理解出來るやうに念を入れた父親風の親しげな説敎であつた。」翌二十七日には、大英博物館の讀書室で、ニューマン(J. H. Newman)の『アポロギア・プロ・ヴィータ・スーア』(" *Apologia pro Vita sua* ")を讀んでその感想を書き入れてゐる。「ニューマンは、私には、神祕家でまた論理家のやうに思はれる。　彼は神秘家である、なぜといふに、外物の實在を信じないから。　さうしたものは、ただ隱れた心理の象徵に過ぎないと信じてゐるのだ、彼は國民の運命を支配する天使の存在と惡魔の存在乃至衆議院のやうな集會とを信じてゐるのだ。　かかる人にとつては、精神的生活のみがすべてである。　彼は論理家である、なぜといふに漠然とした憧憬や不定な感情では滿足しないから。　彼は確定不變の信條(ドグマ)を欲する。　基督敎の神性と信條(ドグマ)の必然と――此二物を認(みと)めるや否や、ひとがローマ的公敎形式に惹かれてゆくのは明らかである。　……ニューマンはたしかに不可見な聲と存在とに充ち滿ちた雰圍氣の中にゐる。」　彼は明日再び此書物を取り上げて、詳しく批判しようと書き込みながら、つひにその約を果さず、五月四日になつてから漸くこれを讀み終つた。　われわれはここに彼の言葉を引用せずにゐられない。「これは立派な書物である。　內密な觀察の驚くべき細微さと殆んど不斷の推論とより成る。　……これは美しい言葉をもつた論理家の書物である。　或點に於て、彼は、眞(まこと)の道を見出さんとする苦惱、不安定の苦惱、自我の分析、それから簡素によつて崇高に、推理によつて雄辯に到達するその文體の力などによつて、パスカル(Pascal)を想起せしめる。　もつともパスカルの靈魂を傷つけるやうな暴風雨(あらし)はもつてゐない。たしか瑞西人ヴィネー(Vinet)であつたと思ふが、某批評家がパスカルとバイロンと二つの名を對照せしめたことがある。その對照はサント・ブーヴ(Sainte-Beuve)も認めたと思ふ。が、その二人の名にニューマンの名を加へることは、誰も思ひつくまい。知的專心より生じ、パスカルでは苦惱の叫び聲の形をとり、バイロンでは反抗の叫び聲の形をとるもだえが、もつと從順なニューマンの唇では諦念に充ちた嘆聲となるのだ。ニューマンは前二者のやうに暴風雨的ではない。彼は和める、柔ける、穩かにする、待ちうける、求める、苦しむ、祈る、さうしてまた希望をもつ。神に反抗するミルトン(Milton)の惡魔は、彼の上にその影を投じてゐないのだ。彼は彼の道を求める。他の人人のやうに動亂を、電光にみちた暗黑を、横斷してゆくのではない。さうではなくして、夏の夜、光あふれる反映が地平線を決して見捨てない時に、道を求めてゆくのだ。これはパスカルよりもつとあらあらしくなく、もつと偉大めかさず、もつと人間的でなく、さうして實はもつと神學的である。それにも拘はらず、此書は大いに面白い、時には戲曲的でさへある。」——この文章などは、後年の『ロバート・バーンズ研究』の前驅たることを肯かしめるまでに、映像に充ち、比喩に溢れ、研究對象の特性を髣髴せしめてゐることが實感せられよう。

ここで彼の運命は一轉する。　卽ち余が『英文學研究』（第十五卷第三）に於て述べたやうに、文相アルベール・デュモン（Albert Dumont）は高等敎育制度を變革して、近世外國語外國文學を重視し、千八百八十一年ソルボンヌに英語英文學專門の講師擔任（メートリーズ・ドゥ・）講座（コンフエランス）を開かしめたとき、パリ大學とならんで、北佛ノール縣の首府ドゥエー大學の文學部に同一講座を設けたのである。　此際、前者にはルイ大王中學の英語敎授として令名あつたアレクサンドル・ベルヂャムが拔かれて、その椅子に就いたことは既に記（しる）した。　ところで、ドゥエーの方には、シャルルマーニュ中學の英語敎授として、シェイクスピア曲を譯し「"*Macbeth*" par Shakespeare, expliqué littéralement par Auguste Angellier, professeur d'anglais au lycée Charlemagne. Traduit en français par M. Émile Montégut. Paris, *Hachette*, 1876, in-16. 2me éd., 1885. in-12 de VIII—271 pp.,」「キャプテン・クヽクの航海記を註し「"*Voyages du Capitaine Cook.*" Extraits publiés avec une introduction, des notes et un glossaire des termes nautiques. Paris, *Hachettc*, 1880, pet. in—16 de XXXII—280 pp.」多小英學界にその名を知られてゐたアンヂュリエが、恩師エミール・シャルル等の推輓の結果、就任することになつたのである。　これより彼の讀書範圍は專ら英文學書に限られ、その製作は主として英文學の研究に獻げられることとなつた。　ここに於てわれわれの筆は、大學講師としてのアンヂュリエの姿を追はなければならない。

第二節　大學講師アンヂュリエ

千八百八十一年十月、アンヂュリエ三十三歳はじめてドゥエー大學文學部の講壇に立つた。後に彼の講座をうけついだ著名な英文學者ヂュール・ドゥロキニは、此時ブーローニュ中學を出たばかりで、彼の最初の學生となつたのであるから、當時の狀況は、その口から明らかに聞きとることが出來る。

最初の講義は、英文學の特長を略述して、特に詩歌に豊かで且つ優れてゐることを指摘し、英語史の概要を説いては混合性のため比類なき語彙の豊かさをえたこと、あらゆる語調にふさはしい言葉のたはむれを示しうる同意語の多いことなどを證(あか)した。それからつづいてプレスビテリアニズム(Presbyterianism)の來歷やディケンズ(Dickens)(千八百八十二年五月二十五日)のこと、サッカレー(Thackeray)のこと、ヂョージ・エリオット(George Eliot)のことを述べ、またエドガー・ポー(Edgar Poe)の生涯やハムレットの性格の神祕性を明らめようとしたり、ヴィリアム・クーパー (William Cowper) に關するレオン・ブーシェ (Léon Boucher) の學位論文 (“*William Cowper, sa correspondance et ses poésies*,” 1874, Paris, Fischbacher, in—12, 440 pp. 千八百八十二年五月二十二日)や、十八世紀の英國に於ける作家と讀者との相關を究めたアレクサンドル・ベルヂャムのそれを分解批評したりしたといふ (Cf. *La Revue Pédagogique*, Nlle Série Tome LIX. N° 12 (15 Décembre 1911))。

講師アンヂュリエが講壇の上から物語つたのは最初の時だけで、第二回目からはそこを降りて、學生の傍(そば)に來て、或は敎科書をともに朗讀し、或は學生の作文(エッセー)を批評したりするやうになつた。それが當時としては非常に珍らしいやり方だつたのである。その頃のドゥエーの大學にはいろいろな敎授がゐて、その講義方法もさまざまであつた。或人は一つの理想を强制し、自己獨特の鑄型の中にはめ込んで、門弟の個性をまるで考へてやらない。或人はまた純粹な學究で、聽講者のことを全く問題外にして獨語する。更にまた或人は學生の知性をめざまし、刺戟し、制御し、敎導して、その學生の特性を發揮させる。アンヂュリエの方法はその最後のものであつた。即ち、彼の時間以外では、學生はみな受動的で、出來るだけ敎授から遠のいて陣取る。ひとり彼の講義の時にのみ、彼等は接近して、共同の仕事をするのだといふイルージョンを感ずる。いはば、他の時間では、恰もディッケンズの小説の中に出て來る少年のやうに、ただ乾燥無味な事實を詰め込まれるのであつたが、英文學の時間にのみ考へうる頭をもつた一個の人格として待遇され、その意見を徵され、相談され、議論されるよろこびを持つのであつた。

では、大學講師アンヂュリエは、何を目標として、如何に指導したのであらうか。ドゥロキニの說くところによると、學徒としてのアンヂュリエの最も重んじたものは努力であつた。努力のないところには結果の上りやうがないとは、彼の口癖にしてゐた言葉であつたといふ。努力とともに彼の最も尊んだのは誠實であつた。彼自身は何もかも知り盡してゐる風は見せず、また故らに困難を弄ぶ風も見せない。まさにその反對である。「うん。これはむづかしいぞ。一體どこがむづかしいのだ。何でむづかしいのだ。さあ一緖にそれを探してみようぢやないか。」――さう言つて、學生と一緖にその難點を檢討してみる。時によると、いかに檢討しても容易に解決點が齎らされぬ時がある。そんな時には、いそがない。いふまでもなく大抵の場合は、學生よりも先にアンヂュリエの方が解答をえる。さうした時にも彼はことさら學生に先だたせるだけの雅量を持つてゐた。さうして學生のうち誰もが解けず、教授もわからない時には、あつさりわからなかつたと公言する。その失敗を隱すために少しの技巧をも用ゐるといふやうな事は全く無かつたのである。

アンヂュリエは學生にも同じやうな正直さを要求した。もし意見なり解釋なりを異にする時には、平和のため、尊敬のため、學生の方でその説を讓る必要は毫もなかつた。意見が違へば確信が異つて來る。それで學生が他説を持してゐる時は、師を欺きやうがなかつた。即ち彼は學生の眼附で讀み、語調で察したのである。――かうしたあけつぱなしの交渉によつて、彼はかへつて學生に愛されるやうになつた。やさしい眼附で心の奥底まで見透し、深い聲音で物をいふ、正直な心から出た、愉快で、上品で、男性的なユーモアは、人人を一層彼に親しませたのである。

もつとも就任直後は大學講師として十分に自己を表現することが出來なかつた。それは、第一に彼の多樣な天資の中に辯舌の才が見出されなかつたからであり、第二に他人と同じやうに語ることが出來なかつたからであり、第三に最大の理由として、彼の想念は熟語として集らず、無數の映像の集合する結果なので、いかに觀察力の鋭い洗煉された眼光でもそれらの思念を直ちに正確鮮明な言語形象に移すにはどうしても多少の困難を感せずにゐられなかつたからである。さうした理由によつて、彼の表現は、いつも獨創的で、具象的で、生生とした映像と大膽な暗喩とに充ちて、その口から投げ出されるのであつた。彼の表現に不慣れな新入學生のうちには、その説明がどうしてもわかりかねるといふ心をありありと見せるものがあつた時などは「君にはわからないのだね」といひ乍ら、もつとわかりやすい言ひ廻しで説明しなほすが、それでさへ具象的なものに充ち滿ちてゐたさうである。それで彼は、學生の理解を容易にするため、繪畫と身振とに訴へた。例へば、或學生のエッセーがばらばらに斷れて論旨の連續的でないことを示すためには「君の論文はこんなだね」といひ乍ら、いくつかのスペースをおいて、その手を上から下におろし「こんなぢやない」といつて、今度はその身振を水平的に繰り返したりしたのを、ドゥロキニは未だに記憶してゐるさうである。

更に一つ講師としてのアンヂュリエには、著しい特徴があつた。それは時間に無頓着だつたことである。普通なら始業の時間にもう終ることがあり、逆に講義の時間が盡きても街路へまでその授業が延長されることがあつた。ドゥエーの市人は、不安と好奇とに驅られた氣持で、きつと振りかへつて見たに違ひない、たしかに大學生と思はれる青年の一群が淺黑い、顏色の異國風な、身なりにかまはぬ一人の男に率ゐられて、高聲に談じながら、練り歩いてゆく姿を。男は柔かなフェルト帽をかぶり、ホワイトシャツをつけた廣襟のダブルカラー、薄青のネクタイを風に靡かせ、靑いチョッキで、美術家か、ボエミアンかに見えた。その眼は、話しながら、恐ろしい熱情に輝いてゐた。その話しぶりにひきこまれてしまふ學生達は、いつの間にかかなり遠い彼の家へまで伴いて來てゐたといふことに氣つくのであつた。その家に住む主人が獨身で、食事もその町の或婦人の家できはめて簡單に取るのだといふことは、學生間に知れ渡つてゐたのである。

大學講師アンヂュリエは、その間、ロバート・バーンズに關する研究を起草してゐた。彼がいつ頃から此研鑽に着手したか明らかでないが、すでに千八百七十九年第四回の渡英時代にはスコットランドを縦横跋渉してバーンズの遺跡を尋ねてゐるし、千八百八十七年大學がドゥエーから同縣のリールに移轉した後も依然として探究をつづけ、千八百九十三年完成した論文がソルボンヌ文學部に呈出されるまでに十五年の歲月が費されたといふから、千八百七十八年前後から着手されたと計算しておいてよいと思ふ。　アンヂュリエは何故バーンズに向つたかといふに、それは此根原的なものを歌ふ戀愛と自然と祖國との抒情詩人に對して、本能的な親しさを感じてゐたからであらう。　然し乍ら、これを研究題目と彼に定めしめた機縁に至つては、遺憾ながら文獻の徵すべきものが存在しないのである。　かくて一度そ の研究の主題が定まると、彼はスコットランドの文學・制度・風物はいふまでもなく、イギリス文學全般に就ても、極めて博大精緻な知見を備へるやうになつた。　特にその作品を精究した『バーンズ研究』下卷をひもといたものは、いかに廣汎な範圍に亘る英文學の作家が此スコットランド詩人と比較され、解剖され、味到されてゐるかに氣づくとおもふ。　特にチョーサー(Geoffrey Chaucer)、シェイクスピア(William Shakespeare)、ミルトン(John Milton)、ヘリック、ポープ(Alexander Pope)、クーパー、ワーヅワス (William Wordsworth)、コールリッヂ(Samuel Taylor Coleridge)、バイロン(Lord Byron)、シェリ(Percy Bysshe Shelley)、キーツ(John Keats)、テニスン(Alfred Tennyson)、ブラウニング (Robort Browning)等の英詩の大系列、フィールディング(Henry Fielding)、スターン(Laurence Sterne)、スコット(Walter Scott)、ディケンズ(Charles Dickens)、サッカレー William Makepeace Thackeray)、エリオット(George Eliot)等の英小説の主潮流を精究した痕は、はつきりと殘つてゐる。　しかもこれらの博大な敎養は、研究者自身の深刻な體驗の反省をもたない時には、單なるペダントリーの羅列に陷りやすい。ではアンヂュリエは、此時、いかなる體驗をもつてゐたか。彼がブーローニュ時代から特殊に發達した自然感情を持つてゐたことは既述のとほりであるが、人性の洞察についても、多くの境涯を通じて體得するところあり、特に愛慾の苦惱と歡喜とについては、カルティエ・ラタン(Quartier Latin)時代に、ローレット(Laurette)と呼び、アンヂェール(Angèle)と名づけ、アルテミーズ(Artémise)と稱した女人等、特にシャルロット(Charlotte)として知られるひととの關係、つづいてドゥエー大學講師時代の悲戀〔ことは精細的確に跡づけられぬが、事實の一端は晩年の詩集『別れたる女人(ひと)』(“*A l'Amie Perdue,*” 1896)のうちに藝術的に結晶してゐると考へられる。なほ雜誌「愛書」第二輯に出た余の評論「學匠の歌」(アンチュリエの詩書)を參照せられたい。」等を經て、各種各樣の體驗を蓄積し、且つこれを反省批判する心境にまで到達してゐた。加ふるにその縱橫自在な言語機能の把握による表現力は、千八百七十年代の終りに出した二卷の散文によつて、或點まで實證されてゐたのである。眞個の學匠として要求される知識と體驗と反省と表現との諸要素は、かくして、バーンズ研究のうちに十全な發現を得たのである。

第三節『ロバート・バーンズ研究』

アンヂュリエが學匠として十五年の心血を注いだ『ロバート・バーンズ研究』は、千八百九十二年十月に完成印刷され、翌千八百九十三年二月、學位論文としてパリ大學文學部に呈出された。〔"*Étude sur la vie et les oeuvres de Robert Burns.*" Thèse pour le doctorat présentée à la Faculté des Lettres de Paris. Paris, Hachette, 1892, gr. in 8 de VII—438 pp. これを公刊せるものが現行版である。"*Robert Burns, sa vie et ses oeuvres.*" Paris, Hachette, 1893, 2 Vol. gr. in-8 Tome I. VII—577 p. Tome II. XVIII—436 pp.〕。いま此大著を論ずるには、まづ此研究の理論的基礎を、次にその現實の成果を、さうして最後に此傑作の佛蘭西派英文學研究史に於ける史的位相を、いちいち究めてゆかなければならない。

アンチュリエが『バーンズ研究』の立場は、一言で掩へば、イポリット・テーヌ(Hippolyte Taine)の系統を引く所謂「科學的批評」にあらゆる意味で對蹠するものといへよう。八折型の大版で細字一千頁に上りながら、これはその表題からいつて一スコットランド詩人の傳記に過ぎないかの印象を與へる。そのために佛蘭西に於てさへ、一般の讀者は、英文學の專門家以外には理解されないものときめつけて、此大作を敬遠した。事實また、『ロバート・バーンズ、その生涯とその作品』といふ表題だけを見ては、これがテーヌの『英文學史』("*Histoire de la Littérature anglaise,*" 1863)とひとりその量を競ふのみならず、その質に於ても優に拮抗するに足る傑品だといふことには、誰も思ひつく筈がない。が、實をいふと、あの一代を指導した大理論家の名著に對する徹底的な反擊が、此研究の主體なのである。

いまテーヌの『英文學史』とアンチュリエの『バーンズ研究』とを讀み較べてみると、そこには單に二つの方法の對立以上のものを發見する。これは二つの氣質の衝突といふへきてある。テーヌに就ていふとその天資の最も明らかなもののみを見ても、彼は一般思想の取扱と結合とに於てすぐれ、歷史上・文學上の事實を整然たる體系下に配列するに驚くへき才能を發揮した。さうした思想と觀念とのたはむれをアンヂュリエは敢て無視しなかつたけれど、それ等を眞面目に受けとることは出來なかつた。テーヌの史觀の整然として美しき秩序は、多くの人人の眼を眩惑せしめたけれど、アンヂュリエはその大建築を敢て白眼視して、現實そのものに肉迫して行つたのである。時に美事なこの理知の殿堂を讃美せしめんとする人があると、彼はその礎石の本質を剔抉して、少くともその一半は「石膏より出來てゐて、眞の堅牢性のためよりは、むしろ均整のために」置かれてゐることを指摘した。彼は、會話に於ても、著書に於ても、決してかかる觀念的建築は打ち建てない。觀念を一つの體系によつて結合せんとする欲求は、彼の全く感じなかつたものである。テーヌ流の概括化より生ずる、實際は虛構なものにしても、一見明快に見え、ために無知識者に對して牽引力に富む結論に對して、彼は動かし難い不滿を持つてゐたのである。概括化・體系化のために歪められた現實を尊重するあまり、彼はつひに書いたではないか、——「今や現實に對して、あの無限の複雜さ、あの說明し難い混亂、あのあきらかな矛盾を、返してやるべき時である」と。かくのごとき根本態度の故に、彼の『バーンズ研究』はテーヌの『英文學史』と對蹠する立場に置かれたのも當然であらう。

これは個個の作家を檢證するにあたり、科學的斷言の高處(たかみ)から命令的に下降して來るものとは異なり、徐徐と忍耐づよく確實なものへ高まつてゆく。個人の詩的經歷より發足して、いくつかの段階を經ながら、つひにその國及びその文學全體の大觀をほしいままにする。これは作家を特殊な原理にふさはしい例證として實證するものではなく、ありのままの文學的肖像を描き出す。作家の成因を分析するを必須な事と考へないで、作家を「個性」の限度へまで究めてゆく。卽ちテーヌの試みは、人種・環境・時代に關する一般的所與から各作家の特性を引き出して來るのであつたが、アンヂュリエは、各個人への無限に注意深い研究の上に立つて、正確嚴然たるものと信せられた文字のうしろに、實は究め難い眞の神祕が隱されてゐることを示さうとする。『バーンズ研究』下卷の序たる有名な審美批評論も、實は彼が眞の科學に對する尊敬と、眞の藝術に對する情熱とをもつてゐたがために書かれたのではなからうか。勿論、アンヂュリエも、テーヌが英文學の味はひに全く到達出來なかつた人であるとは考へない。彼自身の英文學に對する愛も、實は此文學史家によつてめざまされたことを、彼は卒直に告白してゐる。然し、その『英文學史』は、英文學の實相を全く歪曲してゐるといふ。「此斧でぶち切つたやうな批評から出て來た英文學は、單調鈍重、區劃の數も小く、且つ粗大で、多樣性なく、運動なく、他の人間的思想からあまりにも離隔し、廣濶と正確とをともに缺いてゐる。」――枯燥せる實證主義思想が心情に何等の位置をも占めさせず、理性の法則によつてのみ全部を說明するぎごちない方法を、理知もて量るべからざる領域に導入し、文學作品のうちに普遍的法則の特殊適用をのみ認めんとするに對し、その根抵を覆へさんとした新進學徒の言葉はかういふ峻烈なものに充ち滿ちてゐたのである。

さらばテーヌの史觀の根本的立場とはどんなものか。テーヌの考へでは、文學は社會の表現てある。故に、作家はそれぞれ社會の模型としてのみ見らるべきである。さうして各各の社會の特性を構成するものは、人種・環境・時代の三大要素であるから、その三大要素を捉へうれば、各各の作家の說明がつくといふのである。即ちテーヌの場合ては、彼の哲學的體系から、及び決定論に對する彼の信仰から、その批評方法をひき出して來たのてある。此立場を、アンデュリエは、不完全且つ危險なものとして排擊する。「不完全」といふのは、此方法の根據とする原理には、人生に於て大きな意味をもつ偶然が全く無視されてゐるからてある。テーヌとしては、もし偶然を認めれば、その「科學的」立場を失ふ恐れがあるので、どうしてもこの「生」の一大勢力を認めることが出來なかつたのである。更にまた「危險」といふのは、此原理が全くの假定に過ぎず、現實はしばしばそれに對する反證に充ちてゐるからである。例へば、テーヌはバーンズを論じて、まづ近代人の定義を掲げ、一は民主的、他は哲學的と呼ぶ二種の感情に動かされるものと稱し、バーンズは近代性の特徴たる欲情と能力との不均衡を感じた、即ち近代人の典型だといふことを數學的に證明しようとしたのである。が、かうした畫像はバーンズの姿を異常に單純化するものではないか。それにまた此方法では、貧農の子として寒冷な風土と氣候との中に暮したバーンズが、陰慘嚴峻な社會に住んでゐたのに、なぜ近代諸詩人のうち恐らくは最も陽氣な詩人になりえたのか、證明がつくまい。テーヌ的方法では、時代の文化狀態をそのまま反映してゐるやうな低級文學は說明しうるかも知れぬ。が、その出現の當初は萬人に理解されなかつたやうな高級文學は、決して說明が出來ないと思ふ。故に、バーンズの場合では、十八世紀のスコットランドの一般農民の狀態は示しえても、バーンズと呼ぶ特殊人の優秀な藝術性は、決して說明がつかないてあらう。

といつて、アンチュリエは決して科學の破產を叫んだわけではない。彼はただ眞の「科學」がまだ出來上つてゐないといふことを證明しただけである。たしかにその氣質的直觀から、特にその堅實な明智からして、彼は判定したのである、一般法則などといふものは、個個の事實の最も、精細、最も十全な研究が遂げられた後でなくては、引き出せるものではないといふことを。われらの知識の現狀では、科學が一般的なものの上に立つといふ以上、新らしく觀察すればするほど、テーヌ、の所謂「法則」がかたくななものでありすぎるのを見てとるに違ひない。少くとも、此枠の中に研究家が眞面目に調査しえたあらゆる事實を入りこませようとすると、驚くべき巧妙さを發揮しなくてはなるまい。例へば、テーヌはバーンズがつねに戀する人であつたといふ。然し、テーヌにとつては、それはバーンズが代表する近代人の特色たる革命精神の發現を意味するに過ぎなかつたのである。テーヌはまた、バーンズが歡樂を讃じ、幸福を歌つたのは、陰慘な淸教徒思想に反對するためであつたと說明する。たしかに此說明は巧妙なものに違ひない。然し乍ら、テーヌは、バーンズの場合ては見落してならぬ一事を全く閑却してゐる。卽ち彼はバーンズの素質について一言も觸れてゐないのだ。アンヂュリエは、これに反して、存在するものを强ひて推論しない。彼はそれを現前せしめて來るのみだ。科學が單純化をめざすにしても、現實そのものは極めて複雜である。現實にその複雜性をかへさうではないか。人間精神の形成要素を、人種・環境・時代と、いふやうな三個の因子に還元せん、と企てる考へが、そもそも無暴なのではなからうか。先進サント・ブーヴ(Charles Augustin Sainte-Beuve)も既に說いたやうに、「風土・氣候といふやうなすべてに共通する、しかく一般的な《事象》と、そこに住むいろいろな種族や個人といふやうな、しかく複雜多樣な《結果》との間には、更に特殊で更に現實的な多くの原因と要素との入り込む餘地が殘されてゐる。さうした諸原因と諸要素とを把握しない限り、何事をも說明したことにはならない。」特に「讀書や會話によつてつくられる知的繁殖といふ、各人にとつてそれぞれ異なる、純粹に偶然的な作業を閑却しては、精神の構成といふ最も强烈な要素を誤認することにならう。」

アンチュリエの考へでは、テーヌがかかる誤謬に陷つたのは、批評を科學の一部門としようとするところから生じたのである。が、實は、批評は、本來、藝術に屬する。何となれば、科學の目的は法則の發見にある、而して科學の王冠たる概括化は、現實には存在せぬもののしか現はさないのである。これに反して、藝術の領域は、一般的なものになく、個性的なものにある。ところで藝術作品は、テーヌの說くごとき僅か三要素の結果ではなく、もつと屢、複雜多樣な諸要素の交錯の結果であるから、その諸要素の活動狀態を全部認識しない以上、作品を十全に味はふわけにはゆかぬ。さうして批評とは、作品をよりよく味識させることが目的なのである。故に、一時代一國民のあらゆる作家を一樣に類別し、抽象し、衣裳づけんとするのは、批評の眞の目的を外れることになるであらう。批評は、その制作を決定し變更せしめた各種の動因を、そのあらゆる複雜性のうちに捉へんと努むべきなのである。さうして作品を理解せしめるためには、まづ人間を知り、その環境に對する天性の反應の歷史を精細に究めてゆかなければならぬ。此作業は容易なことではない、實に多樣な資格を必要とすることをアンヂュリエはよく知つてゐた。例へば、歷史家としての嚴正公平な心情に、心理家・小說家としての銳利な識別力を兼ね備へてゐなければならぬといふごときである。アンヂュリエはみづからかういつてゐる「政治家・藝術家・詩人の徹底的研究は、ペール・グランデ (Père Grandet)やマクベース (Macbeth)などの創作と少しも變るところはない」と。かくのごとく至難なる作業ではあるが、これはまた藝術的享受に充ちみちた作業でもある。何となれば、「現實の境遇そのものは、架空の境遇に對して、その崇高さも、その優美さも、少しも劣つてはゐないからである。」――アンヂュリエがバーンズの研究に十五年の歳月を投じた根本の理由は、この言葉によつて明らかになつたと思ふ。

今日の學徒はすでに多くの警告に注意されてゐるから、テーヌの『英文學史』に示された根據あやしき概括化をそのままに受けとるやうなことはない。然しながら千八百八十年代の全歐思想界に於けるテーヌの位置を想起してみると、彼は當時エルネスト・ルナン(Ernest Renan)とならんで斯界の獅子王と目されてゐたのである。さう言へば、一般に承認せられ讃美せられてゐたその學説に對して反對の聲を擧げるのは、容易ならぬ勇氣と決意とを必要としたことが、わかる筈である。しかもアンヂュリエはこれを敢然として遂行するとともに、その宣言を美事に實證した。彼のテーヌ説への反抗は、單なる大言壯語ではなかつた。彼の庶幾する眞の批評は、『バーンズ研究』の中で實現されたのである。精細に且つ忍耐づよく、彼は異常な暴風雨(あらし)に充ちみちたバーンズが三十七年の生涯をつくる錯雜せる絲を美事に解きほぐして見せた。これによつて彼は一度異常に單純化された批評法を、あらゆる體系化の誘惑から解き放つて、同じブーローニュの郷人(さとびと)サント・ブーヴの傳統に連れ戻した、いや佛蘭西文學そのものの傳統にまで連れ戻した。何となれば、ここに說かれたやうな批評法は、モンテーニュ(Michel de Montaigne)以來、その文學の中心をかたちづくつて來てゐるからである。

『バーンズ研究』の理論的立場は、これで明らかになつたと思ふ。では、アンヂュリエは、その本論の中で、いかなる成果を擧げたらうか。まづ上卷たる『ロバート・バーンズの生涯』では、此スコツトランド詩人の一生に亘るあらゆる事實を克明に討査し、あらゆる關係の場所を討尋し、證人をたづね、敎區村會の文庫をさぐり、書簡をもらさず參照して、バーンズの生涯に於けるあらゆる出來事を知り盡さうとしたのである。勿論、此大著は、バーンズの百年祭に先だつこと五年にして公けにされたため、或はウィリアム・アーネスト・ヘンリーと、T・F・ヘンダスン(W. E. Henley, T. F. Henderson)との校合・註釋・批判を加へた『バーンズ詩集』("*The Poetry of Robert Burns*," edited by Henley and Henderson. 4 Vols. Edinburgh, 1896—7)とか、もとロバート・チェンバーズ(Robert Chambers)が書いて、後にウィリアム・ウォレース(William Wallace)が改訂を加へた詳傳("*Life and Works of Robert Burns*," Edinburgh, Chambers, 1902)とか、その後に刊行されたものは、全く利用されてゐない。然しこれらの諸學徒の研究書は、少しもアンヂュリエの大著に取つてかはるだけの力をもたぬ。何となれば、彼は當時知られてゐた限りのあらゆる材料を使つたし、その方面に爾來二三の新材料が見出されたにしても、彼の推論は微動だにせず、且つ人間バーンズの上に力點をそそぎ、魂の祕所を摑まんとした彼の特異な研究法は、爾前のものはいふまでもなく、爾後の諸研究家もまたひとりとして、これを凌駕しえてゐないからである。

アンヂュリエは、バーンズの少年時代を探るや、主人公とともに、寒士のいぶせき小屋に夜を明かし、寺院の勤行をもともにする。また主人公が一度寺院を立ち出づるや、今度は若い村娘のロッビー・バーンズ(Robbie Burns)に對する嘆美の情に分け入つてゆく。主人公とともに鋤をとつては、その隱所を破られた小鼠の運命をあはれみ、ドゥーン(Doon)の老橋に肘をついては、バーンズとともに、空に立ち上る煙草のけむりの中に、いろいろと空想を描く。……爾後、バーンズの詩魂を形ちづくつた百千の原因については、一として省略することなからんため、アンヂュリエは、製麻業見習中アーヴィン(Irvine)の海港て知り合つた男によつて敎へられた最初の墮落から、村落の居酒屋での所業、またスコットランドの首府の最上層階級のサロンの花形となつた後、かへつてその階級に對する反感から、下層階級や下賤な人人と交はつた次第、つづいてエリスランド(Ellisland)の農園に赴き、悲參な生活をけみし、つひにダンフリース(Dumphries)州の陋屋で、三十七歳を一期に、絕命するまでの事件を敍述し、描寫し、解剖する。一言で掩へば、アンヂュリエはバーンズから一步も離れない。その一擧手、その一投足、その一思考までが、注意深く見守られてゐる。時によるとその觀察眼が細微に入りすぎたといふ感じをおこさせる程である。例へば、クラリンダ(Clarinda)との挿話のごとき、あらゆる書簡を援引して、兩者の心情を一一抉り出してゐるが、讀む人にやや顯微鏡的な感じを起させずにはゐないかと案せられる。それ位、精確親密な敍事が此研究のまづ第一の特色なのである。

かかるバーンズの生活環境の敍事は、必然的にアンヂュリエを導いて、バーンズの生活に何等かの影響を與へたもろもろの自然、風光を再創造せしめた。グラスゴー(Glasgow)だけはバーンズと全く關係なく、且つ今日ほどの重要性と魅力とをもつてゐなかつたから、これを除外するとして、スコットランド全體が此自然描寫の中に含まれる。卽ち、ロマンチシズムの搖籃たる物思はしげな地平線にかぎられた憂鬱なボーダー地方(Borderland)から、荒涼として雄大なるハイランド地方(Highland)まで、また海に流れ入るドゥーン河の穩和な沿岸から、モークリン(Mauchline)の樹木多き高地、エリスランドの濕氣多く、綠美しき田野まで、みなその中に入るのである。アンヂュリエは、形體に對するとともに光線の最も微妙なたはむれに對し、敏感を極めて畫人の技巧を以て、且つ風景に魂を與へる詩人の想像力を以て、かうしたもろもろの風光を寫し出す。例へば、スターリング(Stirling)の谿谷の描寫――「スコットランドの雄大な光景である落日の頃……輕き淡紅色の光線が空に流れ出て、深き色彩を物象に與へつつ、同一陰影のうちに萬象を集め、そのうちひろがれる線條を單一化するとき、この驚嘆すべき風光は、更に益々調和し、雄偉なる美しさを受けとる」――といふなど、全景の特徴を把握し、浮彫し、生命を吹き込み、その「物具の唐突たる線の中に、平原を橫ぎりゆく漂よへる武士」を思はせるといふ映像とよく合致する。またその頃は未だ北國のアテーネー(Athens)と呼ばれず、その城塔より丘陵をこえて「岩の王座にゐます堂堂たる女王」の姿ありしエディンバラ(Edinburgh)を描いては、「極めて誇りかな、極めて武士的な」畫趣を與へて、スティーヴンスン(Robert Louis Stevenson)の妙技を以てしてさへ十分に印象化しえなかつたものを、たくみに映像化することが出來たのである。

アンヂュリエは、またバーンズの位置を一層明らかにするため、その主人公の周圍に十八世紀のスコットランド人の蝟集する大壁畫を構築した。彼はスコットランドの社會圖を再生させ、そこに男女無數の人物像をちりばめたのである。アンチュリエ特有の精確さと浮彫の技巧とを以てそこに描き出された畫像――バーンズの父親ウィリアム、最初の敎師となつた十八歲のジョン・マードック(John Murdoch)、當時最大の雄辯家であつた辯護士ヘンリ・アースキン(Henry Erskine)、冷酷無情な鍛冶工アーマー(Armour)、バーンズの獻身的な保護者であつたグレンカーン(Glencairn)伯爵など――のまはりには、祈り、歌ひ、飮み、惱み、働き、考へる社會相が展舒されてゐる。そこでは、都會の人と田園の人とが相剋せずに並び立つてゐる。まづ見るは獨學の熱に燃え夕から初更に至るまで片手に書物をもち、片手に粥の匙をもつ農民の子の姿である。働けど働けど效なき無情の土地に精魂を勞し、貧しき家具さへ競賣に附せらるる若い農民の生活相である。日曜には『聖書』を讀み、嚴酷な宗教の掟に從ふが、いつも目を光らせてゐる敎會の委員につけねらはるる農民の生活圖である。つづいて見られるのは都市の生活である――當時は上流士女の遊樂に耽つたダムフリースの町、特に知的敎養の中心地でありながら、高い家家の中で、また街の中で、さながらテニエルス(David Teniers)の筆にふさはしい逸樂が演ぜられ、夜分は高名な判官さへ泥醉しつつ家路につくエディンバラの町。さうした全景が十八世紀特有の密畫のやうな印銘を與へる。中にも特筆すべき光景は、「今迄に聞いた人のうちで最も讃美に價ひする詩の朗讀者」といはれたデュガルド・スティワート(Dugald Stewart)が、バーンズの知らなかつた詩をよみきかせてくれるところや、トマス・グリアスン(Thomas Grierson)家の晩餐會の席上で、バーンズが少年のウォルター・スコット(Walter Scott)に向つて「あなたはいまに立派な男になりますよ」と物語るところなどであらう。

　かういふ背景の中に立つて、バーンズその人はどうなるのか。いふまでもなく、アンチュリエはバーンズのことをのみ語つてゐるのである。今迄もスコットランドの歴史を述べることがあれば、それはその郷國の歴史がバーンズの詩文の豊かな源泉となつてゐるからであつた。エディンバラやダムフリースやの社會相を再生せしめることがあれば、それはバーンズの放蕩と墮落とがどの點まで時勢粧に從つてゐたかを示さんがためてあつた。特に彼は、バーンズの受けえた印象、バーンズの精神の獲得したものを引き出してくるためにスコットランドの生活を寫すのだといふことを、瞬時も忘れてゐない。卽ち、アンチュリエが、かく細(こまか)い要目を渉るるところなく集めたのは、全く知的誠實のためであつた。すべてを探り盡さんと熱中したのは、何事をも隱すまじとする熱望のためであつた。かくのごとき方法は、批評史上の系統をさぐるとき、概述したやうに、サント・ブーヴのそれとつづくであらう。即ち「作者の内部に入りこみ、作者のあらゆる相貌の下に、そのひとを活かし……その内部を一一追尋し、その家庭内の樣子にまで出來うるかぎり深入りし、あらゆる側面から作者を日常の習慣に聯關せしめんとする」方法が、それである。かういふ立場にたてば、批評家は何物といへどもこれを省略する權利がない。省略することは、一つの誤謬となる。「最もありふれた出來事が、實は一つの良心を知る最良の徵證となるのである。」最少の出來事でさへ、然るべき位置に据ゑられれば、然るべき時の詩人の魂の上に、最もあざやかな光を投げる事が出來る。そんなつまらぬ事件がかへつて彼の生涯の決然たる行爲の原動力となるべきものを含んでゐるかもしれない。さういふ見地から、此研究の中にも逸話は數多く語られてゐるが、例へば、ジョン・ギルピン(John Gilpin)の物語を想起せしめるやうな、ハイランド旅行に際し、無禮にも或百姓が自分を追ひ拔いたので、小馬のゲディーズ(Geddes)に一鞭あてて追ひかけさせるところなど、此逸話がバーンズの性格を明らかにする特別な價値を含んでゐると考へられたから、ああいふ細寫をうけたのである。さうした逸話が不十分な時には、風俗史上の説明を藉りて、彼の性格を明らかにする。例へば、既述のやうに、テーヌの説では、バーンズが清教徒主義の嚴酷なのに反抗したのは知的反抗のためだといふが、アンヂュリエの考へでは、それはむしろ下婢のエリザベス・ペイター(Elisabeth Pator)とならんでモスギール(Mossgiel)教會の不名譽な椅子に座らされ、會衆たる村人の僞善者的眼光にさらされなければならなかつたからではないかといふ。ここにも兩者の相違はよく現はれてゐると思ふ。即ち、テーヌは、そのモデルを「環境」の中に投げ込む。然るに、アンヂュリエはその「環境」を描いてみせる。さうしてテーヌのよりは、もつと精確明瞭なものにして、讀者の眼前に眞相を現前させるのである。

かういふ手法によつて、詩人の運命を構成した心情と境遇とのあらゆる危機が再構成される。これらの特色は相互にその力を倍加し合ひつつ、的確にし合ひつつ、われらの眼前にロバート・バーンズといふものを生れ出でしめ、發展せしめ、あらゆる複雜な相のうちに彼の精神の隱微な機構を示さしめ、その本能と憧憬との爭闘、活動、渾融の過程をば、青年期の努力と狂暴、成熟期の動亂と困惑、晩年期の廢頽と零落の中を通じて、髣髴せしめるのである。思ふにあらゆる文人のうちで、バーンズほど熾烈な生涯を送つた詩人はゐまい。アンヂュリエの描いたバーンズは、過度な自負と情熱とをともに含む激烈狂激な天性を備へたひととして、現はれて來る。彼の文學的制作の偉大な特質であり、同時に彼の行爲の特徴ともなつた「現實感覺の比類なきあざやかさ」を備へたひととして、現はれて來る。その情熱を抑制するに、彼にはつねに意志の力が缺けてゐた。そのために彼は數數の道德的失行を犯した。然し乍ら、その失行の責は受けながらも、彼の生涯は方正と勞苦と善良と寛仁と無打算との生涯であつた。「彼をつくれる土は金剛石で捏ねられ、且つ彼の生涯は、詩人が送れる最も勇敢な最も誇りかなものであつたと考へる以外に、果して何物が殘されてゐようぞ」とアンヂュリエは説く。

ここに於てわれらは考へなければならない、アンヂュリエはいかなる力によつてかくのごとくバーンズの人物をあらゆる動的な複雜さの中に再生させることが出來たのかと。思ふにそれは、彼がただ鋭利な分析力・精緻な觀察力を備へてゐたためのみではあるまい。それらよりはもつと尊い特性――例へば、眞の藝術家らしい想像力、それから人生への愛、人間一般(特に對象とする作家そのひと)に對する熾烈な同情など――を備へてゐたためではあるまいか。實に彼のバーンズ研究は、アンヂュリエと呼ぶ詩人が再體驗せるバーンズといふ詩人の生涯の研究になつてゐるのである。それでこれからバーンズの畫像の下に、アンヂュリエそのひとの根本精神を尋ねてみよう。

アンヂュリエはまづバーンズの傳記のやうなものは、もしこの「誠實な精神の持主にふさはしからぬ僞善に陷るまいとすれば」、特に正直に書かれねばならぬと信じてゐた。その方針に從つて、彼は言ふを憚る生活の出來事にも、勇敢に觸れてゆくことを恐れなかつた。さうした箇所では、いかにその解剖の業が苦痛であつたらうぞ！　彼の庶幾せる公正に對して、いかにその心情を犧牲にしなければならなかつたらうぞ！　「ところでこれは思ひきつていはなければならぬ」とか、「殘念ながら、これらの告白を述べなければならぬ。これこそ此後頻繁となるべき泥醉行爲の最初のものである」とか「これには何等批難すべきところがない。ただ感ずるところのものは、これら無用の放蕩と、時間と青春と健康とに對する愚劣な濫費とを、われらが殘念に思ふ氣持だけである」とかいふ言葉は、卷中、至るところに散見する。然しながら、アンヂュリエは何事をも隱し立てすることを拒む。否、大抵の場合、彼の判斷は寸毫も假借するところがない。――「これら二通の手紙は怪しからぬ。これらを辯護のしやうはない」。「これは祈願の形をよそほへる神への呼びかけと、忠誠を主張する心とが胸糞の惡くなるやうに入り交つた手紙である。」「これは味の拔けた文章である。一語として眞情を映してゐるものがない」等等。

かくのごとく細部には時として苛酷な判斷が見出されるけれど、全體として眺めてみると、彼のバーンズに對する批評には、いつも好意の刻印がはつきりと捺されてゐる。アンヂュリエは、バーンズに對して、バーンズの家族が此詩人に對してもつてゐたと同じ樣な感情を抱いてゐたのではないかと想像される。ただ異るところは、彼の家族のバーンズに對する感情には反省が全く伴はなかつたらうが、アンヂュリエの氣持にはいつも反省の結果が隨伴してゐたといふことだけである。「彼等の批難する多くの缺點は、かへつてそのあやまちを犯した詩人の優越點を成してゐるやうに思はれる。」事實、また、その優越點の名によつて、アンヂュリエは屢〻バーンズの罪過を許してゐる、――「それにも拘はらず、汝のあやまちにも拘はらず、あはれなるロバート・バーンズよ、汝は十分に行動した。汝は眞の道を選んだ。さらば立ち上つて、汝の生をおくれ！　汝の生は汝の欲するままにならう、それは決してむなしきものとなることがあるまい。　神は汝（おんみ）を欺かなかつた。　故に立ち上れ、ゆけ、働け、蒔け、霙（みぞれ）と風と太陽との下に、刈り取れ、不幸に陷れ。　時には罪をも犯せ。これより汝（おんみ）はその額に不可見なる小枝（さえた）を擔ふのだ」といふ風に。

といつて、アンヂュリエの寛大な裁斷は、單に對象とするものに對する愛情のみから來てゐるのではない。　それはもつと高い一つの原理の上に立つてゐる。　即ち、アンヂュリエの同情が、盲目的なそれではなく、つねに理知の拘束をうけてゐるとすれば、また行爲に對する彼の分析が人を裁き人を難ずることを欲せぬならば、それは經驗が「一つの行爲の深處はわからない、周圍の人人にさへわからない」といふことを、はつきりと彼に敎へたからである。　彼は弱點にみちみちてゐる人生には、叡智を以て對したのである。　彼の心情は愛情ふかき慈悲心に溢れてゐたのである。それはひとり彼自身が愛と惱との中に、多くのものを許す至上の德性を學びえてゐた故のみではなく、「許すところで缺點を認めるのは、われらの知るものとわれらに認められずにゐるものとを關係せしめることになるから、眞實を二重に尊重することを意味する」と、彼自身はつきり悟つてゐたからでもあつた。

以上略述したごとく、バーンズの必ずしも善良ならぬ行爲を明らかに照らし出でつつ、アンヂュリエの用ゐた方法は、テーヌ風の體系化の精神を脱して、更に單純な良識(ボンサンス)を重んずるものであつた。此研究に於て、アンヂュリエは殆んど一個の創作品をつくり上げた。作家の生涯を再體驗せしめ、バーンズをしてわれらの眼前に行動せしめ、感動せしめ、思考せしめた。さうして一に公平を期するため、彼は細微な討査をゆるがせにせぬ。その判斷は、寛大に過ぎることをも嚴酷に過ぎることをも、ともに避けたのである。また、或種のイギリス風の傳記家のやうに、バーンズを美德に充ちた完全な人物に祭り上げて、その生涯の中から悲劇美と敎訓と眞價との一部を奪ふやうなことを、彼は決してしなかつたのである。

彼はありのままのバーンズを、多くの缺點に充ちたバーンズを、如實に示したのである。それとともに彼の公平な精神は、十分な反省とおのづからなる好意とによつて、多くの缺點を償つてあまりある數數の美點をバーンズの中に發見したのである。かくのごとき態度によつて、アンヂュリエは、みづから此研究書の序の中に希つたやうに、ひとが批評家に與へうる最も美しき稱辭、卽ち「よき批評家」の名を受くるに價ひするものとなつたのであつた。

上卷の『ロバート・バトンズの生涯』が前述のごとき內容をもつてゐるに對して、

下卷の『ロバート・バーンズの作品』は、純乎として純なる審美批評である。ただ審美批評といふと、アナトール・フランス(Anatole France)やヂュール・ルメートル(Jules Lemaître)の亞流によつて曲解されたかの輕妙軟弱な印象批評と同一視されるおそれがある。然しながら、アンヂュリエのは決して單なる印象批評ではない。これはあくまでも精細な文學史的事實を尊重しつつ、作品の特質をあらゆる角度から檢討してゆく。といつて、或種の「學術的研究」のごとく單に材源を列擧するに追はれてゐる乾燥無味な解剖ではない。史實はあくまでも史實として尊重しながら、精錬された審美眼によつて、たえず作品の藝術的意義を把握せんと志ざすのである。即ちここに於ては、バーンズの全作品が、單に傳記を主とする人間研究の一資料となるのではなく、いかなる美的意義を含むか、いかなる藝術的價値をもつかの問題が、いつも當面に据ゑられ、その根本方針に從つて『バーンズ集』一卷があますところなく分析されるのである。

その際彼は『バーンズ集』の作品を同一主題、同一素材のもので一括し、これを作者の生涯に照らして考へながら分類し、同一類型に屬する英文學史上の作品と比較・分解しつつ、その本質を追究してゆく。彼はつねにバーンズの先驅者を忘れない。その先驅者は、スコットランドの民謠作者でも、ポープやスターンのやうに十八世紀風な特徴を示した作家でも、微に入り細を穿つて、一一その影響の本質を辿り、バーンズの獨創性から時勢粧の借着を拂ひのけようとする。 現に高名な英文學史家オリヴァー・エルトン(Oliver Elton)のごときは、バーンズと先進、特に古典期作家との聯關はアンヂュリエ以前に明らかにしたものがない筈だとさへ明言〔"Le Cahier *Angellier*" 1927. p. 71〕してゐる。 また『バーンズ集』の異色たる自然感情を考察するや、アンヂュリエは、英詩全體に流れてゐる自然感情を一一究めた後に、大觀し精察し、また生物に對する感情を探るときは、動植物への愛と自由の精神とをからませて、その種の潮流を英文學史の中に遡り、然る後にその種のバーンズ的な特性を抉り出して來る。 アンヂュリエはまたバーンズに内具しながら、適切な環境をえなかつたため十分に發達しなかつた彼の天才の一面を見逃してゐない。 例へば、バーンズの天才はきはめて戲曲的な姿を呈してゐる。 彼の意匠も表現も、もう一息(ひといき)で戲曲となるべきことは苟も『バーンズ集』を熟讀したものの直ちに氣づくところであらう。 現に彼はメーリ女王(Mary Queen of Scotland)を主題にして一曲の戲曲(ドラマ)を書かうとしたといふではないか。 さうした特性をもちながら、バーンズの場合では、なぜそれが十分に外發して成果を結ばなかつたか。アンヂュリエは、それを環境と時代と個性との三點から、一一周到に觀察することを忘れない。更にまたバーンズ詩の重大要素であるヒューマーに觸れては、「彼の嘲罵は、いくつかの個人的憤慨の場合を除くと、苦い惡意を含まない」といひ、戀愛詩に說き及んでは「彼の魂は情熱的であつて、決してロマンチックなのではなかつた」といひ、『バーンズ集』の特性を包括するときは、「その詩はきはめて明快で、中庸の均整をえてゐるから、曖昧なる漠然たる或何物かを物象に與へる型の詩からは、本能的に遠ざかつてゐる」と說いて、バーンズ藝術の古典的性質を明らかにするなど、本質を突いた言葉は、卷中、到るところに點在してゐるのである。

最後に特筆さるべきは、此下卷の研究によつてアンヂュリエはバーンズの特殊性とともにその普遍性をも明らかにしたといふことである。由來イギリスの文學者は、スコットランド人がバーンズを崇拜することを好まないらしい。スコットランド人の方ではまた、バーンズの偉大な詩人であることを疑ひはしないが、その偉大さを感ずるのはただ自國人のみではないかといふ懸念を抱いてゐる。スコットランド人にとつては、此愛すべき鄕土詩人は、その故國の山河と同じやうに愛慕せすにゐられない存在なのである。彼らにとつては、バーンズの中にある單に地方的なものと普遍的なものとを區別することは殆んど不可能に近い。この難事業を成しとげるには、スコットランド以外のひとで、且つヨーロッパ文學一般に精通してゐることが必須の條件である。その種の要件を備へてゐる文學者がバーンズの藝術をいかに評價するかは、彼等の最も聞きたいと思ふことであらう。アンヂュリエの前に、かうした仕事に手をつけた一人の獨逸詩人がゐた。即ちフライリヒラート(Ferdinand Freiligrath)である。この人は巧妙な獨逸譯によつて、バーンズ詩の詞美をよく寫し出し、此スコットランド詩人の超國境的意義を多少暗示しえたのであつた。然しフライリヒラートの譯詩だけでは、まだバーンズの普遍的意義について若干の疑問が殘されてゐたのを、それを完全に取除いたのがアンヂュリエの大研究である。古典と近代と兩文學に精通せる批評家であり、また後日實證されたやうに幽婉熱烈な律語の作家であつたアンヂュリエの研究の中には、少くともスコットランド人的な小國民的偏見を離れたバーンズ觀が見出されうる。さうして此大著を讀みゆくにつれて、バーンズは一般にスコットランド人が考へてゐたよりも偉大な詩人であること、從つてスコットランド人が彼の生涯と藝術とに獻げた努力は當然であるといふことなどが實證された。　バーンズといふ詩人は、その用語、その素材その表現に於て、スコットランド人の中のスコットランド人でありながら、獨自の天才の力でスコットランド氣質の型を破つて、スコットランド人の人間性に何物かを加へたのである。　實際バーンズといふ詩人の中に深く隱されてゐる特質はアンヂュリエのいふやうに「レニエ(Mathurin Régnier)を、ヴィロン(François Villon)を、時としてサンタマン(Saint-Amant)をオリヴィエ・バッスラン(Olivier-Basselin)を思はせる。　むしろ佛蘭西詩人の中になら、同じ血の人を、朋友を、同輩を、もてたのではないか」と考へられる。バーンズの中にあるかかる普遍性の把握こそ、アンヂュリエの名著を更に高く價値づける二大收穫なのであつた。

*

さてこの『ロバート・バーンズ研究』は、學位號請求の主論文として、ラテン語で書いた副論文『ジョン・キーツの生涯と歌章』[*De Johannis Keatsii vita et carminibus* Thesim Facultati Litterarum Parisiensi proponebat / Auguste Angellier, / Universitati Aggregatus / in Facultatae Litterarum insulensi Docens. / Parisiis, / Apud Hachette et Socios Bibliopolas MDCCCXCII. in. 8 de 109 pp.] をあはせて、千八百九十三年三月三日ソルボンヌに呈

出された。此ラテン語論文の方は、Pars Prior が五節にわかれてキーツの生涯を、Pars Altra が六節にわかれてキーツの歌章を論じ、特に後者は Caput II (Prima Poemata), Caput III (Endymion), Caput IV (Hyperion), Caput V (Lamia. Carmen in Graecam Urnam) といふ風に、一一、その詩章をラテン譯して、チュリアン・チラール (Julien Girard) に學んだ古典語學の造詣と英文學の獨自な味到力とを實證し、キーツ研究史上、後のリュシアン・ヴォルフ(Lucien Wolff)が大著("*John Keats: sa vie et son œuvre*" Paris, Hachette. 1909, gr. in 8. de 672 pp.)の先驅となつたものである。

此兩論文を審査したものは、當時その文科大學に外國文學講座を擔任してゐた教授アルフレッド・メジエール(Alfred Mézières)、獨逸文學講座の助教授エルネスト・リクタンベルヂェ(Ernest Lichtenberger)、英語英文學講座の講師アレクサンドル・ベルヂャムその他であつた。「審査は上上の成績で通過した。X(エノクス)のみが好感をもたず、何等新らしいことをいはず、佛語と英語とが不安定に混入してゐる文體で書いたことを責めた。余は彼に勝手なことを云はせておいた。他の人人は余に讃辭をあびせかけた、特にリクタンベルヂェが」と、彼は此時リオン大學英語講師の任にあつた心友エミール・ルグイに報じて(二月二十五日の手紙("*Le Cahier Angellier.*" 1925 p. 71))ゐる。かくのごとくして彼が十五年の苦心は立派に報はれ、アンチュリエは非常に優秀な成績でdocteur-ès-lettresの學位を領することが出來たのであるが、その月二十五日には「ルヴィウ・ブルー」(*La Revue Bleue*)にエミール・ファゲ(Émile Faguet)の評論が現はれて、彼をいたく憤らせた。ファゲの評論の骨子といふのは、バーンズの生涯も性格もかくのごとく詳細に研究される價値はない。バーンズはただ農民の生活を送つたこと、鋤をとりつつ冬期の夜分のみ詩人であつたこと、酒のみの官能家であつたこと、また性格をもつてゐなかつたことなどを述べれば、十分である。バーンズの作品を説明するため彼について知るべきことは、その種の摘要の中に全部含まれてゐるといふ短文なのである。これに對して、アンチュリエは、審査の翌日(二月四日)以來「男と男との賞讃」を感謝してゐたリクタンベルヂェに書を寄せ(二十七日)、その衷心を吐露した。彼はまづファゲはことさらに不快感を與へようとしたのではないが、知的な接觸をもちえず、明らかに上卷は開いたこともなく、下卷もレトリノクの教授として何行かを見たに過ぎまい。「例へば、タルチュフ(Tartuffe)とドン・ヂュアン(Don Juan)との比較を批難してゐますが、あれは二人の人物を比較したので、二つの作品を比較したのではない。要するにファゲの文章全體は何でもないことを稀にして、ケチをつけようとするので、消極的な批評、しかも私の著書をよませまいとするための最も上手につくられた批評です。」由來「外國人關係の著書に對する佛蘭西批評家の判斷にはどうかと思はせるところがあります。それは批評家が自分の無知識をば、他人の著書を批難する理由にするからです」と嘲つた。これに答へて、リクタンベルヂェは、當時新刊批評欄を擔任してゐた「ル・タン」(*Le Temps*)の誌上で、アンヂュリエみづから「小著の眞の努力と問題とを同情もあり資格もある人によつて示された」とまてに感謝する紹介文を書いた。四月三日附て彼に宛てたアンヂュリエの書簡が此紹介に對する彼の心情を明らかに語つてゐる、曰く「讃辭は敢てあたらす、批判はまさに病根にメスをあてる醫家のごとくてす」と。

Xやファゲの批難は、批難のための批難て、いはば問題外であるが、今日われわれが虛心てアンヂュリエの大著に對するとき、そこに全く缺點を見出さずにゐられるてあらうか。筆者は勿論、此傑品に對して絕大の讃辭を獻げるに吝かなものではない。たしかにルグィ[*Les Études Anglaises* dans "*La Science Française*," Tome II., 1933. p. 431]その他の賞辭にあるとほり、これぞ佛蘭西派英文學研究書の代表作であるとまで絕讃せずにはゐられない。うちあけていへば、筆者などは此研究書に接してから、はじめて具體的に文學作品の取扱方を學んだのだといつてもよい位である。といつて、この大著が全く不滿な點を缺いてゐるといふことは、いへまいかと思ふ。

その一つは時としてアンヂュリエの長所がかへつて禍となれる部分を感ずることにある。 例へば、筆者のごときは、アンチュリエの描寫そのものとして再讀するを悦ぶものであるが、上卷第四章であれ位精細な筆を惜しまなかつたエティンバラの描寫など、バーンズその人を傷つけてゐはしまいかと案せられる。 そこでは長いことバーンズが群集の中に失はれ、高樓の家家のために壓し潰され、僅に後景の中に微塵小の姿となつて現はれてくる。 もつともアンヂュリエを辯護すれば、かうした書き方も當然といへよう。 卽ちモスギールの村では、全景を領してゐた彼の存在が、首都では全く問題にならないからである。 それを考へれば、あゝした描寫も云ひ譯が立つ。 それにしてもバーンズのエディンバラ時代の敍事としては、多少均衡を失した釣合であることが否めまいと思ふ。 それにまた書中に出てくるスコットランドの首府の古い家家、うねりまがる小路小路に眼をとどめゆく散策者は、バーンズではなく、アンヂュリエであることを感ずる。 バーンズならば、あれほど驚嘆し、あれほどまで感動はしなかつたらうと考へられる。 さうした事情のため、此邊の描寫に一種のアナクロニズムのくさみが感ぜられることは否めないのではないか。

他の一つはバーンズの詩の形式的考察が不十分だといふことである。勿論これは外國人にとつて最も困難な部門であるから、本國の人を啓發せしめるやうな何ものをも發言しえないので、ことさらに說かなかつたのかもしれないが、その獨自な感受性に照らしたスコットランド詩のリズム感はぜひ詳說して欲しかつたと思はれる。後の研究家になると、レオン・モレル(Léon Morel)も、ロヂェル・マルタン(Roger Martin)も、かなり突き込んだ意見を十八世紀英詩の形式に對して述べてゐるではないか。

この形式方面のことと關聯して問題になるのは、アンヂュリエの文體であろ。彼の文體は大きく開いた花瓣をもつ紅薔薇の重なり合つたのを思はせる。映像は溢れんばかりに重疊してゐる。その映像も一つづつ取り上げてみると、微妙な美しいものばかりてあるが、たえずその傍にその美に近きもの、その美と競ふものが存在するため、一つづつひき離してみろ時ほど、われらを打つ力に乏しい。しかもこれは後宮の美である。豐艶と豪華との蠱惑てある。これは斷じて淸素を誇る古典的な文章ではない。それにまた古典の作家なら心理的反省によつて文章を展開するところを、アンチュリエは「映像」で進めてゆく。かうした文體は、筆者自身は大好きである。が、バーンズその人は、この華麗な文體のために、かへつて失ふところを加へたのではなからうか。つまりアンチュリエの散文に挾（はさ）まれてバーンズの詩章がかへつて裸（あらは）に枯燥した印象を受けるのである。それからアンチュリエ自身も、その譯文では原詩の特色が失はれてをることを認め、ティビー・ダンバー (Tibbie Dunbar) の詩を譯文（下巻二八一頁）で引いて「これはつまらない。原文ではすばらしいものである。殆んどすべての效果は微妙なくりかへしと固有名詞の愛撫的反復とに基いてゐる。その反復のもつ魅力を傳へることは難かしい。すべては音樂的な屈曲とその溫柔との中にあるのだから」と述べてゐるけれど、今述べたやうな華麗なアンチュリエの文體そのものが原詩の特性の移植を妨げたことは爭はれないと思ふ。むしろ此研究書の讀者の性質を考へれば、原詩を引用して、やむをえない場合、例へば、難解な諸聯（スタンサ）に限つて大意を添へる方が、バーンズ詩の持味をよく傳へえたのではあるまいか。兎に角『バーンズ研究』を通して最もはつきりと浮彫されて來るのはバーンズの文體ではなく、アンチュリエのそれである。故にバーンズを九原の下より呼びおこすとき、彼はアンヂュリエに對して無數の感謝をせねばならないとともに、逆にまた二三の嘆聲を發してもよいのではないかと考へられる。

*

アンヂュリエが『ロバート・バーンズ研究』の現實の成果については、上來その内容を分解説明し、且つこれを追尋批判した。殘されたるは、此大著が佛蘭西派英文學研究史上の位置に關する問題のみとなつた。然しこの點はリール派全體の運動とならべ説くのを至當と認めるから、次節に於て論ずべく、ここにはただ簡略な大觀を與へておきたいと思ふ。

實は千八百八十一年、アレクサンドル・ベルヂャムの十八世紀英文學に於ける作家と讀者との關係を究めた社會史的討査が出て、一新時代を劃し、いはゆる「佛蘭西派英文學」の基礎を据ゑてより此方、その方面の業績の見るべきものは、千八百七十八年來外交官としてイギリス大使館附參事官の職にあつて、本國に在勤中の閑暇を利用し、一一秘庫を漁つて原本を鈔し英人も驚く博識と眼識とを養うてゐたヂャン・ヂュール・ヂュスラン(Jean-Jules Jusserand)の諸研究『“*Le théâtre en angleterre, depuis la conquête aux prédécesseurs immédiats de Shakespeare*" (1878) "*Les anglais au moyen âge; la vie nomade et les routes d'angleterre au XIVe siècle*" (1884) "*Le roman anglais: origine et formation des grandes écoles de romanciers du XVIIIe siècle.*" (1886) "*Le roman au temps de Shakespeare*" (1888) "*A French Ambassador at the Court of Charles II*" (1892)〕を除くと、ベルヂャムの指導の下に、ソルボンヌ派のアルフレッド・バルボー(Alfred Barbeau)やルイ・キャザミアンなどが、いくつかのすぐれた業績を、二十世紀の初葉に公けにするまで、殆んど現はれなかつたのである。しかもベルヂャムの學統は、どちらかといふと、英文學の作品を藝術的意義よりは、むしろ國民思想史的見地から捉へんとするので、さうした點では、結局、ヂュスランと同じやうにテーヌの系統に屬すると見られる。かういふ大勢にあつた時、突如としてこれに對立する新風を呼號したアンヂュリエの大著は、その最優秀な結果を實證して多くの人人を魅了するとともに、爾來、數年の間隔をへだてて續出した一流の英文學研究書、特にもともとベルヂャム系のルグイの『ワーヅワス研究』〔"*La Jeunesse de William Wordsworth* (1770—1798) *Étude sur le Prélude*" Paris, Masson, 1896. in—8 de VIII+496 pp.〕、ヂャック・バルドゥー(Jacques Bardoux)の『ラスキン研究』〔"*Le Culte du Beau dans la Cité nouvelle. John Ruskin poète, artiste, apôtre*" Paris, Calmann-

Lévy, 1900. in—8 de XII+536 pp.〕などによつて、ソルボンヌ派内部よりアンヂュリエ風な方法によるものを生み、同時にレオン・モレル〔Léon Morel: "*James Thomson; sa vie et ses œuvres*" 1895. Paris, Hachette, in—8 de 678 pp. "*De Johannis Wallisii grammaticae linguae et tractatu de loquella*" 1895, Paris, Hachette in—8〕ワルテル・トマ〔Walter Thomas: "*Le Poète Edward Young* (1683—1765) *Étude sur sa vie et ses œuvres*" 1901, Paris, Hachette, in—8 de 676 p, "*De epico apud Joannem Miltonium versu.*" 1901〕等、傍系の學匠が、全くアンチュリエと同じ道を踏んで、此新風の樹立に援助を與へ、更にアンチュリエ自身がリールで養成した若い學徒の一群がこれにつづくやうになつてより、彼の學統は全く勝利を占め、佛蘭西派英文學の中心的研究法は、爾來、個人作家を中心とする、心理解剖による個性發見と藝術的意義の把握とを志ざす新方法によつて、風靡されることになるのである。『ロバート・ハーンズ研究』の英文學界に於ける位置、これによつて思ふべきではないか。

第四節　大學教授アンヂュリエ

『ロバート・バーンズ研究』を公けにした後のアンヂュリエは、もはや北佛に偏在する地方大學の名も無き一講師ではなくなつた。學位を享けた後は、官歴も正教授に昇進（一八九三）し、間もなく文科大學長を兼ねるとともに、學界に於ては押しも押されもせぬ英文學壇の重鎭と仰がれるに至つた。その頃ソルボンヌにはアレクリンドル・ベルヂャムがゐて、その清明詳密な釋義によつて名教授の名を博するとともに、中央學界に位置する地理的・政治的便益をも享けて、多くの秀才を集め、從つて優秀な學徒をも輩出せしめてゐたけれど、『バーンズ研究』の著者を擁するリール大學英文學科は忽ちにしてこれに劣らぬ學才ある青年を集め、その英文學科の名聲は、一時學壇に君臨するの概があつた。佛蘭西英文學界にいはゆる「リール派」なるものは、漸く結成せらるべき氣勢を示し始めたのである。われらはこれより轉じて敎授アンヂュリエの英文學徒養成の方法とその成果とに就て述べなければならぬ。

敎授にすすんだ直後のアンヂュリエに就ては、當時の學生であつたモリス・キャストラン(Maurice Castelain)の記事によつて、その風貌を窺ふことが出來る。千八百九十三年のアンヂュリエはまだ四十五歳の働きざかりであつた。從つて晩年の彼と學生との間に於けるやうなひどい心的間隔(へだたり)はなく年齢から來る權威も此頃はまだ大して關係はしてゐなかつたのである。にも拘はらず、彼の盛名は全學を壓するの勢があつた。「アンヂュリエはわれらにとつて年上の兄(このかみ)のごとく、またきはめて若い父上のごとく、その經驗の寶庫をわれらのために惜しげなく開いて、われらの前に聲高に考へてくれた……(敎へることとは友情である)」といつたのはミシュレー(Jules Michelet)であるが、この美しい言葉は、彼の發明したものかと思はれる位で、後にはその門弟の大多數の實地に示すものとなつた」(“*Le Cahier Angellier*” 1925. p. 11)。さうしてまた最も印象をうけやすい青年期に、單なる才能以上のものをもてる巨匠をばその敎授に仰いだことは、ひとり此短文の筆者に限らず、當時の學生の皆、感謝してゐるところである。それは千八百九十八年から千九百一年にかけてその門に學んだフロリス・ドラットル(Floris Delattre)も、千九百十年アンヂュリエの歿する一年前にイングランドから戻つてその講義を聽いたルネ・ラルー(René Lalou)も、十年の先輩たるキャストラン等に、皆、同感してゐるのである。特に此ポアティエ(Poitiers)大學英文學教授のごときは、アンヂュリエの門に出入したため、天才の眞相を知ることが出來、此師を識つたがために、ハムレット(Hamlet)の作者をよりよく理解することが出來るやうになつたとさへ記してゐる。勿論、シェイクスピアとアンヂュリエとを同格だと思ふのではない。然し、サント・ブーヴ風な見方からいへば、二人は精神的同族である。從て一者を知ることが他者の理解を深めたにしても、決してをかしくはあるまい。かくのごとき傾倒のあまり、キャストランは、つひに何か書物なり、事件なり人物なりについて判定を下すべき時が來ると、先師なら此際いかに裁き、いかに判じたかと考へ、それによつて然るべく處置するほどになつたと明言してをる。

これほど深刻な感化を學生に與へた英文學教授アンヂュリエの指導法はどんなものであつたか。まづ彼は言語學者でもなく、文法學者でもなかつたけれど、文學研究上それらの學問を貴重な補助學科として飽迄も活用せむことを要求した。彼の圖書室にも、また大學の研究室にも、言語學・文法學の書物特にヘンリ・スウィート

(Henry Sweet) の "*History of English Sounds*" などを必備させたのが何よりの證據である。英文學書のうちチョーサーの如きは、音聲學と文法學との力を借りなければ、一語も正確に意義を明らかにしえない。學問に於て何よりも的確を求める彼は、さうした基礎の學科について十分な利用法を講じてゐた。かりにチョーサーの飜譯をする時があれば、さうした言語學的研究を徹底的に果し、一見乾燥無味なその種の作業をも少しも避けずに學生を指導したのである。その種の細心の用意がなければ、あのやうに正確にバーンズのスコットランド方言を譯しうる筈がない「例へば、バーンズを愛好する一スコットランド人がアンヂュリエの著書の中に誤譯を發見したと稱したけれど、實は間違つてゐたのはそのスコットランド人であつたといふ逸話が殘つてゐる位である。」文法學者としてのアンヂュリエの面目は、學位論文の一部たる "*A Contribution to the Study of the French Element in English*" (1904)を準備中、チュール・ドゥロキニが前置詞 of の用法に及ぼせる佛蘭西語の影響について彼の意見を仰いだ時、「實は自分の得意でない問題」だがといつて、千九百三年六月六日附て南佛ル・ラヴァンドゥー(Le Lavandou)の別莊から發した手紙などの中に歴歴として明らかである。その種の知識とともに、アンヂュリエは英文學の研究に何よりも必要な辭典類の用法を敎へた。N・E・D・は絶えず用ゐられたが、此大辭典によつて一語の原義をたしかめることは眞先に要求された。原義は大抵の場合に於て唯一の意義であり、しかも古典的な大作家の作品を理解するのに、知ることの最必要なものだからである。ただN・E・D・でも、各語の意義の分類は必ずしもつねに信用しえない。アンヂュリエはそれを繰り返して告げた。それはどんな辭典でも間違ひなきを保し難いからである。ひとり辭典にとどまらず、彼はコンコーダンス、エンサイクロピーディア(大英百科全書はその愛用書であつた)、グロッサリーの類に及ぶあらゆる參考書の利用法を敎へた。一言でいへば、文學の背景たるイギリス文化について明らめる手段は一つとして閑却しなかつたのである。然しそれだからといつて、文學作品をただ文化狀態の一證據としてのみ見んとする態度は、彼の決して肯んじなかつたものであつた。

敎授としての彼は底本の選擇にやかましかつた。例へば、シェイクスピアは毎年その講讀書の一つであつたが、旅行の際、遊樂の時には最も携帶しやすい最も學究的ならぬ版本を用ゐるけれど、一度敎室に出る時には、ファーネス(Furness)の異版校合本や四折本の複製を持つて、一にその據るところの原典に忠實ならむことを期したといふ。

いま彼が講讀に用ゐたものを調べてみると、シェイクスピア、ハーバート(George Herbert)、シェリ、キーツ、ブラウニング夫人、メレディス(George Meredith)などで、概してその趣味は內面的な畫趣を不斷に示す人人に向つてゐたのではないかと思ふ。故に自國の文學に於ても、詩人としてはルコント・ドゥ・リール(Leconte de Lisle)よりはボードレール(Charles Baudelaire)を重んじ、小說家としてはユーゴー(Victor Hugo)よりもバルザック(Honoré de Balzac)を尊んだと傳へられる。かういふ多少の偏差をもつ英文學書を耽讀したからといつて、彼には祖先傳來の良識を忘れるやうなことは全くなかつたのである。即ち、偉大な古典の系統を引いた清明・論理・方法・構成等の特質は、その文學的判斷に於ても、最後の準繩になるものであつたらしい。例へば、後日西佛ボルドー(Bordeaux)の文科大學にあつて、世界的なブレイク學者の名を馳せたピエール・ベルヂェー(Pierre Berger)などは、その門弟の一人であるが、ベルヂェーはリールの學生時代からすでにブレイク(William Blake)、ブラウニング(Robert Browning)などの甚たしく imaginative な作家の朦朧混沌とした形象に心醉する形であつた。然るにアンヂュリエは不可解なものを深刻と呼ばず、藝術的混沌を生命力に溢るるものとは稱さなかつた。かへつて彼はベルヂェーにアディスン(Joseph Addison)を讀めとすすめたが、若い學生はその言葉の意味を理會することが出來なかつた。しかもベルヂェーは、その後三十年を經て、ブレイクを離れて眺め、モリエール(Molière)やパスカルやの一見皮相と思はれる心理にも堪へうる老境に入つてより、はじめて師の言葉の眞意に徹することが出來たと述懐してをる。

　アンヂュリエの作品講讀はリールの英文學科の名聲を宣揚せるものの一つである。それは本文の内容に精確深刻に透徹しうる驚嘆すべき技倆のためであつた。彼は不斷の讀書の經驗によつて精神を覺醒し、單なる言葉の魅力によつて眩まされず、惑はされず、加ふるに稀に見る確實さて英語を理解する力を備へてゐたため、内容の深みを抉り出して來ることができたのてある。ドゥエーに於ける最初期の學生ヂュール・ド・ロキニの文中に殘つてゐるシイクスピア講義の一節("*La Revue pédagogique*" Décembre 1911)、また千八百九十五年のアグレガシオンに指定された『ヘンリ五世』第一幕第二場の講義の一節、Robert Obry の覺え書きしたもの("*Le Cahier Ang-llier*" Octobre 1925)、またリールに於ける最後期の學生てあつたルネ・ラルーが千九百十年度に聽いたキーツの釋義を抄出したもの("*Le Cahier Angellier*", Décembre 1926)

などが、その面影を髣髴せしめると思ふ。それらのノートによつてうかがはれるやうに、彼はわが國の大學で行ふ教授の研究結果を筆記せしめる方法を用ゐず、專ら與へられた作品に對する釋義に終始したのであるが、まづその本文の中に含まれた具象的・現實的な生ける要素を精緻に捉へんとした。卽ち、表面に現はれてゐる言葉の意味より、もつと複雜でもつと豐富な機構——靈の內面的なはたらき——を捕捉せんとするのが、彼の目標なのであつた。ラルーはこれを評して「まるで果實を押し潰して液汁をしぼり出させるやうに」言葉の味と匂とをあますところなくしぼりとつたと述べてをる。いまカンタベリ大僧正とエリー僧正とが英國王ヘンリ五世とサリック法によつて佛蘭西の王位を占められるものか否かを論ずる一節の釋義(Text—Henry V. I. 2. line 7—17)を引いてみよう。原文は左のごとくである。

Canterbury. God and his angels guard your sacred throne,
  And make you long become it!
K. Hen. Sure, we thank you.
  My learned lord, we pray you to proceed,

And justly and religiously unfold
Why the law Salique that they have in France
Or should, or should not, bar us in our claim.
And God forbid, my dear and faithful lord,
That you should fashion, wrest, or bow your reading,
Or nicely charge. your understanding soul
With opening titles miscreate, whose right
Suits not in native colours with the truth....

これに對してアンヂュリエはかうした調子で講義する。……「*And make you long become it* といふのは et fasse pendant longtemps que vous lui conveniez といふことだね。或は et que vous en fassiez longtemps l'ornement としてもよい。*Justly and religiously* といふのは avec justice et droiture だ。rigueur ではぴつたりしないだらう。むしろ scrupuleusement がいい。ここでは religion そのものの意味をもつてゐないことはたしかだ。小ユーゴー(F. V. Hugo)はここを une religieuse rigueur と譯したが、惡くないね。*Claim*・prétentions では小さすぎる。反對者なら prétentions といふだらうが、國君と

もあらうものが、當然の權利を論じてゐるのだから、droits といふところだらう。revendications でもよい。*Bow*: Courbiez だ。ここでは映像に訴へる物質的な言葉がどうしても必要なのだ。恐らく三つの動詞のうちで、これが一番强いだらう。*Reading*: interprétation だ、lecture だ、ce qu'on lit だ。*Nicely*: ingénieusement いや、subtilement の方がいいね。*Understanding soul*: qui sait à quoi s'en tenir だね、votre âme qui voit clair, qui n'est pas dupe だね。ここでは understanding と miscreate とを對立させてゐることは明らかだ。clairvoyant では一般的になり過ぎる。*understanding* の意味が限られたものか一般的なものか、いひ難いね。conscience では意味が混亂するからよくあるまい。やむをえずんば、votre âme consciente とすべきだらう。*Opening*: étalant といふのは美しい言葉だが、十分には的確ではない。*Miscreate*: これを des titres illégitimes とするのはよくない。むしろ bâtards の方がふさはしからう。實際それは miscreate といふ言葉の中に含まれてゐるのだ。」――この種の精密な釋義の間に文學上の意見や偶感がもらされる。一體、英文學書の難解多義な語句や表現の間には、さまざまな推測が可能である。それらはいちいち精細に檢證してみねばならぬ。それらの箇所に於てこそ、その作者特有の思考形態なり表現型式なりが明らかにされるからである。　アンヂュリエは特にその種の鑑別に長技を示して、シェイクスピアにしろ、シェリにしろ、ブラウニングにしろ、メレディスにしろ彼等の獨創力の意義と逆にそれらの天才の限度とを示した。　彼の的確强靱な把握力はつねに本質的なものを捉へて、それを具象的な精密な言葉で學生の眼の前に差し出してみせる。　時には學生に全部考へさせて、ぎりぎりのところまで押してゆき、最後に諸説を綜合して、教授自身の判斷を下す。　此類の頁の「釋義」こそ教授としてのアンチュリエの大を成すものであつたが、英文學の諸作家のうちでは、彼は特にシェイクスピアを好んで、毎年これを講義の對象とし驚くべき妙技を發揮した。　時にはシェイクスピアの天才がアンヂュリエの中に再生したかのやうな感じをさへ與へたこともあるといふ。　例へば、最古參の門弟ドゥロキニは、リール大學講師としてかつての師アンヂュリエと同僚になつたときも、學生と伍して師の講義を傍聽してゐたが、此博覽なシェイクスピア學者でさへ、いまだ既往のいかなる註釋者も説かず、しかも師か力强い證據ではじめて啓示した語義を聞いては、覺えず慄然としたことが幾回もあつたさうである。　それを思へば、學生がアンヂュリエの講義の價値を知りながら、その内容を筆記しなかつたのは惜みても餘りあることである。　もつともアンチュリエの眞意を歪めて傳へたのでは却つて危險であるし、眞理は發見されてしまふと、かへつて單純に見えるものであるし、且つこのひと獨特の詩人的空想力のゆき過ぎと、師自身がその釋義を單に推測的なものと稱してゐたことなどは、勿論、考慮に入れなくてはならないが、前掲した二三の斷片的覺え書を除くと、アンチュリエの講義が、それを精細に寫し出すべきボズウェルをもたなかつたことは、まことに遺憾なことであつたといはねばならぬ。

彼はひとり作品の講讀に力を盡したのみならず、學生の論文（エッセー）指導にも、その時を惜まなかつた。エッセーに對する彼の批判は、いたづらに細（こまか）い事實を詮索して、揚足とりを好むといふ類のものではなかつた。アンチュリエはまづその論文を肯定することから始める。さうしてその學生の論旨からいつて矛盾して來るところを、指摘する。それからその學生の趣味と見方とに應じた方法で、論文を再建してみせる。かくのごとき寛容な態度をとりながら、アンチュリエには彼自身の見方があつた。彼の意見では、學術上の論文作製の方法は、幾何學の證明の進行と異るところはない。表面にはつついてゐなくとも、少くとも内面的には嚴整な論理の聯結がなければならぬ。側面的判斷や對比やを除外することなく、直接な突進法を用ゐよ。さうして各部が合集して同一目標を志し、的確精緻に一論證をし終へた時、はじめて、實のある論文が作製されたといへる。文體は婉雅で清明なことを希つたけれど、正直で健康な精神が貫いてゐれば、それでもう十分に認めてくれたのである。かういふ風にアンヂュリエは、獨自な要求をもちながらも、それぞれの學生に特有な進路を認めて、おのれとは異る意見をもちうるを知り、十分に各自の個性をのばさせようとした。これこそ「生」がそれぞれに眞理をもちうる百千の姿を呈するを知つて、それらを悉く認めんとしたまことの教授に必須な資格であり、またアンヂュリエの門に學んだものが何よりも誇りとするところのものであつた。

かかる性格の故に、アンヂュリエは、外面的な型の整齊を說く教授法を侮蔑した。恐らく教授法などを聞いても、アンヂュリエには答へられなかつたらう。彼の教授法は、彼と學生との相互協力の結果出來たものであつて、形式上の整備は全く問題にしなかつたからである。何よりも內質を尊んだ彼は、學生の陶冶に於ても、これを形式的な職業教育的見地から與へることは出來なかつた。例へば、彼の晚年に、アグレガシオン制度の變革案に與かつたことがある。その時、文部の當局はこれによつてただ中學生を教へる人を選拔する手段のこととしか考へてゐなかつたのに、アンデュリエの考へるアグレガシオンとは、佛蘭西で、外國文學と外國思想との問題を正しく取扱ひうる、從つて、一國の知力的核心を維持すべき、人々を養成する手段と見られてゐたのである。ためにに當局と彼との間にはどうしても意見が合致しなかつたといふやうな話も殘つてゐる。かういふ教育觀の故に、教授としての彼は、學生の一人一人について詳細な事情を心得、その性格に應じて指導の法を異にした。勿論、アンデュリエとて、その判斷が間違ふことがなかつたとはいはれない。さういふ場合には、卒直に是正して、それを恥としなかつた。彼は學生をその特徴に應じて分類し、評價した。晩年には長いこと健康のため休講することもあつたが、その種の場合にも、校務を托してゐたドゥロキニの報告を聞いて、いちいち學生の特性を判じた。その時には兩人の意見がよし合致しなくとも、後にはドゥロキニの方てアンチュリエの判斷を承認せざるをえないことが多かつたといはれる。彼は此種の觀察眼に多大の誇りを感じてゐた。時には相手をじつと見て、一目で飲酒癖の持主か、不健康者かを推察して、周圍の人人を驚かせたこともあつたさうである。此親切は卒業後の人人にまで及んだ。例へば、その門の秀才のうちでも勉強しすぎる傾きのあるアンドレ・コスズュル(André Koszul)に宛てては、その渡英時代の過度な勉學をいましめて「あんまり勉强したまふな。度はづれな連續的な勉强は間違ひです。それは精精のところ、競爭試驗の時代だけにふさはしい。不斷に勉强することは、たえず食べてゐたがるのと同じやうに、愚劣なことです。讀んだものは考へて消化しなければいけない。學ぶといふことは受身の働らきです。君は、歩きながらも、働らいてゐても、家の中でも、戸外でも、勉强して考へてみることが出來る。だから、衞生をまもつて、體育に努めてまへ。いつも健康上のこと一中斷され挫折されては、自信のある努力は出來ない。英人から體育の時間を重んずる彼等の思想を學びとることを考へたまへ。それは君が彼等から學びうる最も小さなものではないのです」（千九百年九月三日）といふやうな懇切な忠告を與へ、また當時は學匠たることより象徵派の詩人として活躍し、ジョルヂュ・ローデンバハ（Georges Rodenbach）やアルベール・サマン（Albert Samain）に心魂を飛ばせてゐたフロリス・ドラットルか第二詩集を公けにした時は、もつと健康な古典的な美に向ふことをすすめ（千九百五年六月五日）、更にまた論文の起首に全力を盡しすぎて後半の展開かこれに伴はないきらひのあるエルネスト・ディムネー（Ernest Dimnet）の評論集を受けとつては、激勵の辭の中に、その急所を突いて、今後の書き方に再考を望んでゐる（千九百九年三月十日）ごときが、それである。

今迄に述べて來たやうな愛と理解とを以て指導された若き學徒か巣立つたとき彼等はみな師の習法をそれぞれの素質に應じて體得しつつ、世紀が新たになるとともに、續續重んずべき大作を出して、學界に重要な位置を占め、後進の學徒をアンヂュリエの流儀によつて指導しはじめた。佛蘭西英文學界に重んせられるリール派の業績とは、それらを總括して指すのである。

その學界に貢獻せる第一の部門としては、リール派の最も得意とする精緻的確な英文學研究書を擧げなければならぬ。彼等はいづれも、師の『ロバート・バーンズ研究』をめぐつて、おのづとロマンチシズム前後、及び師の愛讀したシェイクスピアをめぐつておのづとルネッサンス時代の英文學の作家に向ひ、また師の性質に同じて、特に律語の巨匠を精究した。今世紀最初の十五年間に現はれた英文學界の最も輝かしき業績は、殆んど全くリール派の學位論文の占めるところである。いまその公刊された年次に從つて重なものを列擧すると、デュール・ドゥロキニ（1860—　）の『チャールズ・ラム研究』〔“*Charles Lamb: sa vie et ses oeuvres*” Lille, au siège de l'Université. 1904. gr. in—8 de 416 pp.〕モリス・キャストラン（1872—　）の『ベン・ジョンスン研究』

〔"*Ben Jonson* (1572—1637): *l'homme et l'oeuvre.*" Paris, Hachette, 1906, gr. in—8 de XVI+954 pp.〕ピエール・ベルヂェー(1869—1933)の『ウィリアム・ブレイク研究』〔"*William Blake: mysticisme et poésie.*" Paris, Société française d'imprimerie et de librairie, 1907, gr. in—8° de 490 pp. 2me éd. 1936. Paris, Didier.〕アンドレ・コスズェル(1878—　)の『シェリ研究』〔"*La Jeunesse de Shelley*" Paris, Bloud, 1910, in—12 de XXII+441 pp.〕フロリス・ドラットル(1880—　)の『ロバート・ヘリック研究』〔"*Robert Herrick: contribution à l'étude de la poésie lyrique en Angleterre au XVIIe siècle,*" Paris, Alcan, 1912, gr. in—8 de XV+570 pp.〕などは、師が生前に完成したものであるが、遅れて歿後に公けにされたドゥニ・ソーラ(Denis Saurat)(1890—　)の『ミルトン研究』〔"*La Pensée de Milton*" Paris, Alcan. 1920, gr. in—8° de 368 pp. ルネ・ギャラン(René Galland)の『メレディス研究』〔"*George Meredith: les cinquante premièrs années* (1828—78)" Paris, Les Presses françaises, 1923, gr. in—8 dr. XV+430 pp.〕なども此系統を引くもので(やや異系に屬するソーラを除いて)これを取り出してみても生涯の心理的解剖と作品の藝術的意義の把握とを第一義にした個人研究の典型のみである。

アンヂュリエがその必要を信してゐた英語學方面の業績ではヂュール・ドゥロキニが先鞭をつけ〔"*A Contribution to the Study of the French Element in English*" 1904, Lille, Le

Bigot Bros., gr in—8° de 176 pp.〕爾後ヂョセフ・デルクール(Joseph Delcourt)(1873—　)の『サー・トマス・モーア研究』〔“*Essai sur la langue de sir Thomas More d'après ses oeuvres anglaises*”, Montpellier, imprimerie Roumégous et Déhan, 1914, gr in—8° de XXVIII+471 pp.〕が斯道の專攻論文として、此方面に名乘りを擧げ、以下續々と英語學を開拓し始めた。これに附加して擧ぐべきは、英人以外の學者にとつて頗る至難な本文校訂（テクスト・クリチック）の分野に於ける成績で、中にもキャストランの“*Ben Jonson. 'Discoveries' A critical edition with an introduction and notes on the true purport and genesis of the work,*” (Paris, Hachette, 1906, gr. in—8°)、コスズュルの“*Shelley's Prose in the Bodleian Manuscript*” (London, Froude, 1910, in—16 de 148 pp.)、デルクールの“*Medicina de quadrupedibus; an early ME version with introduction, notes, translation and glossary, edited by J D*”(Heidelberg; Winter, 1914, gr. in—8° de LI+40 pp.)などは、學徒の必ず參考せねばならぬものになつてゐる。

第二の部門としては、英文學の藝術的移植を擧げなければならぬ。實はベルヂャムの學風もこの移植事業には力を入れたのであるが、彼のは專ら原義の正確な把握を志ざすので、非常に忠實な譯文ではあるが、兎角、原作の風韻の逸されるうらみがあつた。リール派の譯文は、それに反して、兩者の渾然たる融合を圖るものでその優秀なものは英文學書の飜譯事業の典範とさへなつてゐる。此方面では、何といつても、コスズュル監修のシェイクスピア叢書が最高の成績を擧げたと見るべきてあらう。これは Les Belles-Lettres 社から千九百二十三年來續出してゐる大叢書て押韻・無韻律等の律語の約束と散文の自由律とを、原調そのままに佛蘭西語に移さんとしたもので、すでに二十數卷公けにされてゐるが、就中、この派の長老ドゥロキニの四大悲劇(1923—1931)と『コリオレーナス』(“*Coriolan*” 1934)、監修者コスズュルの『ロミオとヂュリエット』(“*Roméo et Juliette*” 1924)、キャストランの『シムベリン』(“*Cymbéline*,” 1930)、ギャランの『以尺報尺』(“*Mesure pour Mesure*,” 1930)、シャルル・マリー・ギャルニエ(Charles-Marie Garnier (1869—)の『ヂューリヤス・シーザー』(“*Jules César*,” 1929)と『小曲集』(“*Les Sonnets*,” 1923)等は、學者必讀の好評と目されてゐる。次には斯學の大家かそれぞれ熱愛精通する專門の作家を翻へした譯業のことも、特筆されなければならぬ。中に就き、ブレイク學者ベルヂェーの『豫言書』(“*Les Livres prophétiques de William Blake*,” 2 *vol.* 1927—1930)『浪漫前派』(“*Les Poètes préromantiques anglais*,” 1927)、シェリ學者コスズュルの『シェリ選集』(*Oeuvres choisies de Shelley*,” 1929)、ベン・ジョンスン學者キャストランの『ヴォルポーネ』(“*Volpone*” 1934)、メレディス學者、キャランの『シャクパット毛剃(けぞり)』(“*Le*

Shagpat rasé 1924)『イーヴァン・ハリントン』(" Evan Harrington", 1934)等は、語學的正確と藝術的魅力とに於て、安んじて信賴しうるリール派獨自のものである。

此兩部門に亘つて長技を示した諸學徒のうち、ドゥロキニは既に述べたごとくアンヂュリエ門の最古參者で、千八百九十四年來リール大學講師として師を助けた後、師の歿後にはその講座を繼承して、リールの英文學科の學風を固め、堅實精緻な誇る獨特な英語學の力によつて、英文學古典の註釋に他の追隨を許さず、ベルヂャムの後をおそつてソルボンヌに入つたエミール・ルグイとならんで、現に學界の最長老の一人として敬はれてをる。ベルヂューは早くボルドーに赴き、その地の中學（リセー）から大學に轉じ、ブレイク學の大家として神祕思想の明快な釋義によつて英米の專門家に知られ、加ふるにブラウニングの研究(" *Quelques aspects de la foi moderne dans les poèmes de Robert Browning*" (Paris, 1907) " *Robert Browning*" (Paris, Bloud, 1921, in—12 de VII+253 pp.)では、白耳義（ベルヂック）の學者ポール・ドゥ・ルュール (Paul de Reul) の先蹤をなし、更に直門アンリ・オヴラク (Henri Hovelaque) を生んで、佛蘭西ブラウニング學の礎石を築いた。大戰後、彼はミルトン學者ソーラを入れ、つづいてメレディス學者キャランを加へて、一時ホルトーにリール派の有力な堅城を築いたが、近年病歿し、ソーラも間もなくロンドン大學キングズ・コレッヂの佛蘭西文學教授(今はリールの英文學助教授を兼ねてゐる)に轉じてよりは、今は、キャランが主任教授の重職に就き、その清明にして均整のとれた藝術眼で英文學の古典研究に從つてゐる。キャストランは早くよりポアチエ大學英語講師の位置に就き、シェイクスピア・ベン・ジョンスン・バイロン・シェリ等の精密强靱な諸研究・諸飜譯〔"*Byron*," Paris, Didier, 1931, in—12 XVI+300 pp; "*Percy Bysshe Shelley: Oeuvres choisies Texte anglais et traduction en vers*." Tome I in 8° de XLIII+256 pp. 1929. Tome II VIII+334 pp. 1931. Tome III 344 pp. 1935. Paris, Les Belles-Lettres〕を續出し、學界最高の位置にのぼり、今はその文科大學長の椅子を占めてゐる。コススュルは若くしてアンヂュリエに愛され、師の歿後はドゥロキニの空位を繼いでリール大學の英語講師となつたが、間もなくルグイに引かれて、ソルボンヌの英語講師に榮轉し、大戰後はストラスブール(Strasbourg)大學の主任教授として、その鋭利な藝術的味識の力を重んぜられてゐる。これまた現代英文學界の重鎭である。更にまたドラットルは、トゥールーズ(Toulouse)中學を振出にしてパリのシャルルマーニュ中學に轉じ、のちコススュルの後任として、リール大學講師に移り、大戰後は增設された英國文化及語學講座を擔任する教授に昇り、最近十年間のリール大學英文學科をアンヂュリエ時代の盛時に還すかと疑はれるまでに活躍し、今はルグイの退職によつて空位となつたソルボンヌ英語英文學講座の員外教授に拔かれて、キャザミアンやエドゥアール・ギュイヨー(Edouard Guyot)とならぶ最も輝かしき英文學者となつてゐる。(此人の業績については、筆者の小論「ドラノトル教授のこと」(「英語研究」昭和八年九月號)を參照せられたい。)ギャルニエは、リールで業を卒へた後、ダブリンに赴き、エドワード・ダウデン(Edward Dowden)に就いて學んだが、今は文部省督學官として教育行政の重職にあり、ブロンテ姉妹("*Les Soeurs Brontë*" Paris, Bloud, 1910 in—12. XII+276 pp.)の研究によつて英米に廣く知られてゐるディムネー師(1866—　)は、才學識相伴ふ近代的學僧であり、また現代佛蘭西文學を論ずるため、わが國に多くの知己をえてをるルネ・ラルーは・パリのアンリ四世校(Lycée Henri IV)の教授を勤めてゐるが、後の二人者は學界よりもむしろヂャーナリズムの分野に進出してゐるかの觀がある。

尚、アンヂュリエは、リール大學で學徒を養成した外、長いこと英語のアグレガシオン委員會の主査として、多くの英文學者を育成した。　中にもキーツ研究家としてあまねく名を知られてゐる現レンヌ(Rennes)大學英文學教授リュシアン・ヴォルフは、ソルボンヌのアドリアン・バレー(Adrien Baret)門であるが、たえずアンヂュリエの推輓を仰いだのと、交友にリール出身者の特に多いことによつて、唯リール派と見做されてゐる。アンヂュリエはまた千九百二年から千九百四年にかけて、レコル・ノルマル・シュペリウールの英語英文學講師として、シェイクスピア・シェリ等を釋義し、現代著名の比較文學史家ポール・アザール(Paul Hazard)、佛文學史家ピエル・モリス・マソン(Pierre-Maurice Masson)その他に英文學の醍醐味を傳へ、これら少壯の學徒が後日各自の專門を大成するに寄與するところが少くなかつたといはれる。

レコル・ノルマルの任期が充ちた時(一九〇四)のアンヂュリエには、ソルボンヌ英文學講座の講師(chargé de cours)か、乃至は文部省總督學官の位置がすすめられたが、彼はそれらの榮職をことごとく退けて、リールの舊位置に戻つて來た。それは大都の空しきいとなみを避けて、こころおちつく生地に近い地方小市に定住して、その思想と靈感とを育成しようと欲したからである。かかる思念の根柢には、更に一つ、昔日大戰亂の後に新政府派の一員として、パリの新聞紙上に筆をとつた時、首府の政界の內幕に觸れ、いかにさまざまな邪慾と因襲とがあまりにも中央集權化した國力の十全な發達を妨げてゐるかを體驗してゐたので、自分はむしろ地方の知力的獨立を圖り、良心の中心・獨創力の中心を佛蘭西の各地方都市に据ゑ、國民の根深い生命力をそこに確立したいといふ氣持が流れてゐたのであつた。しかも地方の知力的獨立を最も多く擔任するものは、各地の大學である。故に地方の大學に職を奉ずるものは、此趣旨を體して、外表の因襲生活を乘りこえ、生命ある自律の生活を强化し、擴大しなければならぬ。これが官位の榮達をしりぞけても、彼が北佛の大學の舊位に戻つて、そこて獨自の研究法を深め、その餘暇の全部を創作詩に獻げむとした所以なのてある。

まことに晩年のアンヂェリエを語るものは、その創作詩のことを忘れてはならない。千八百九十六年の『わかれたるひと』("*À l'Amie perdue*," Paris, Léon Chailly, in—18)といひ、千九百三年の『四季の道』("*Le Chemin des Saisons*," Paris, Hachette, in—18 de 265 pp.)といひ、千九百五年から千九百十一年に亘つた『古代の光のうちに』("*Dans la Lumière antiqu*" Tome I. Les Dialogues d'amour. 1905, 135 pp. Tome II. Les Dialogues civiques. 1906, de 165 pp. Tome III. Les Épisodes. 1908, 222 pp. Tome IV. Les Épisodes (Seconde partie)1909 de 209 pp. Tome V. Les Scènes. 1911 de 191 pp. in—18°, Paris, Hachette)といひ、彼はアルフレ・ド・ドゥヴィニー(Alfred de Vigny)やシュリ・プリュドン(Sully Prudhomme)を先驅とする「完全詩」――感性と知性との圓かな渾融を志す佛蘭西詩歌の大道――

を進んで、時に談理の弊があるが、多くは象徴的情緒にまで高揚する樣式の奉仕者として、多年錬磨したその精妙の詩技を創作詩の中に發揮したのである。然し乍ら詩人としてのアンヂュリエについては、既に多くの評論が現はれてゐる。壼中の消息を詳かに解せんとするものは須くマ、ソンの研究を味讀すべきである(" *L'Oeuvre d'Auguste Angellier* " dans " *Oeuvres et Maîtres par P M Masson* " Paris, Perrin, 1923)。ヴィクトル・ヂロー(Victor Giraud)やエミトル・ルグイ等の名家にも、またすぐれた理解を示す好論文が殘されてゐる。

此興味多き側面については、さうした人人の評語に讓つて、われわれは當面の問題に立ち戻り、アンヂュリエが晩年の面影を眺めなければならぬ。彼の學匠としての聲名は漸く國外にも傳はり(Cf. Cloudesley Brereton in *The Academy*, Oct. 20th 1906)、歐米諸國の大學諸教授で、リールを訪れ、學生に混つて、アンヂュリエの講義に驚嘆するものも多く、特に千九百五年頃、ミムス教授(Prof. Mims, of the Univ. of North Carolina)のごときは、イギリス以外の歐洲諸大學の英文學研究法の調査に派遣された時、佛蘭西派の研究が、比較を許さぬ程、優秀なのに驚き、しかもその業績の殆んど大部分にアンヂュリエの影響が見られるのに二度驚いたといひ、またロンドン大學のケア

(W. P. Ker)教授やハーバード大學のブリス・ペリー(Bliss Perry)教授等が、アンチュリエの人物と業績との卓絶に三嘆したといふごとき、みなその證左とするに足りるてあらう。國內ではまたモリス・バレス(Maurice Barrès)の親友で、殆んどすべての當代佛蘭西の名流を知つてゐ、それに何よりも英雄崇拜的なところのない、あのアンリ・ブレモン(Henri Brémond)師のやうなひとが、アンチュリエに會つてから自分は四吋ほど高くなつたと口癖のやうに言つてゐた(Ernest Dimnet: *My Old World*, London Jonathan Cape. 1935. p. 267)といふ逸話が傳へられた位に識者に讃嘆されもするし、一方また創作の方面では、『古代の光のうちに』の長編詩がまさに完成しかけ、少數の讃美者の群は漸くその數を加へ、彼自らの求めなかつた大衆間の名聲も高まりかけて來たのであつた。かういふ晩年は、みのり多き老樂の悅ひを思はせるものであつたが、終世娶らずして獨身のこころやすさを或は南佛プロヴァンス(Provence)の別墅に、或は少年期を送つた海港の母人の家に、こもごも送るのをたのしみとしてゐるうち、前年(千九百十年八月十七日ブーローニュの家よりエミール・ルグイに送つた葉書參照)より心臟を病み、また秋には氣管支炎にかかるなど漸く健康の衰へて來たアンチュリエは、つひに翌千九百十一年三月二日、ブーローニュ・スュール・メールの自邸に病んで遽に世を捨てたのである。齡を享くること六十有三歳であつたといふ。

結語

此小論を結ぶにあたつて最後に問ふべきは、オーギュスト・アンヂュリエの人物とその學界に於ける史的位相とである。

晩年二十年間に最も親しくした心友エミール・ルクイの語るところによると、アンヂュリエは、拳闘家のやうな長身巨體で、頭髪と鬚髯とは漆のごとく黒く、オリーヴ色の顔色はエスパニア人かトルコ人かと疑はせるばかり。その烱烱たる眼は濃い眉毛の下に人を直視すること、遠き空のかなた、地平線をみつむる歩哨のそれのごとく、鼻孔は大きく開かれ、口髭の下には厚い唇が突き出してゐたといふ。これは本質的に庶民出の風貌であつて、斷じて社交界のサロンで悦ばれる型(タイプ)ではなかつた。

またその擧止・言動を見ても、決して洗煉されたものとはいひがたい。おほらかな陽氣さ、熱烈な心のよさ、言辭の唐突さ、露骨さ——さうしたものの間に、けはしい皮肉を含まぬラブレー流の弄戲をはさむ。それでゐながら獨居の時は、落ちついてゐて、時によるとはてしない憂鬱に陷るといふ癖があつた。更にその會話が彼の異常な風貌をますます特色あらしめる。アンヂュリエは決して能辯家ではない。その句法はあまりにも混亂し、その文章はあまりにも拮屈てある。時時語句につまるとき、表現に穴が生ずる。然しそれを彼の感じにふさはしからぬ出來合ひの語句を借りて來て埋めるやうなことは決してしない。その穴はそのままにして、ぐんぐん次の思想に移つてゆく。こんな風なひとであるから、社交界の花形や講演會の立者（たてもの）になれなかつたのは當然であらう。

アンチュリエの言葉を求めるや、學生の論文を批評するにせよ、文人の一頁を評論するにせよ、無名の畫人に向ふにせよ、大家の畫布に對するにせよ、不斷に不變に對象の内質に迫り、物象の核心に肉迫する。細部はふみにじつて直ちに内陣へ突貫する。周圍は顧慮せず、ただその中核をめがけてゆく。一度、本質を把握し終れば、その對象に固有な名前を求め、はじめはたゆたひうごめいてゐた語句をあれこれと探つて、つひにぴつたりと言ひあてる言葉を見出して來る。その言葉はいつも甚趣あるものであつた。これは別に映像的な言葉が、その色彩によつて彼を誘つたのではない。たださうした言葉のみが個性化しうる故であつたと思れる。此苦心慘憺たる言語發見の過程をさぐるものは、はじめは漠然として謎のやうな言葉が段段精錬されて、對象の本性に迫り、その輪廓と特性とを髣髴せしめつつ、いつか内質をはつきり把握する過程に驚いたといふ。

物象の本質を把握するを第一義として、他の本質的ならぬものは悉くふるひ落さんとするその傾向は、ひとり言葉の選擇のみならず、社會生活の全般に及んだ。或教授がすでに指摘したやうに、社會生活の因襲と形式化とは、一見それらに服從してゐないやうに見える人をも、眼にみえぬ無數の絲でしつかりとつなぎとめてゐる。しかも諸諸の制度のうちで、うち見たところは此因襲と形式化とから遠く離れてゐるやうで、實はこれに最も縛られてゐるものに、大學内の諸制度がある。訪問とかレセプシオンとか、報告とか書式とか、最も社交的なる諸型式は、大學の中に深く根を張つてゐる。然るに、アンヂュリエは大學の内部にゐながら、一切の社交的な諸形式を、その生活から遠ざけたのである。此性質を、最もよく實證するものは、彼の書簡である。彼の書簡の主要なものは、今、“*Le Cahier Angellier*” 第二輯から第五輯までに集められてゐるが、その數は決して多くない。しかも熟讀してみればわかるやうだ、それらは悉く內密な性質のもののみである。のつけから急所を突いてゆくもののみである。彼は皮相な禮節を追ひやつてしまつたのである。これは因襲といふその周圍の雜草を刈りとつて、やすやすと散策しうる自由な時間の道を切り開かんとする、深慮ある庭園師（にはつくり）の努力にも似てゐた。事實またアンチュリエといふ人は、時間に對して、常人とは異る感覺をもつてゐたらしい。このことは大學講師時代のところでも物語つたが、彼ほど暦と時圭に敎へられて行動しなかつた人は少いといはれる。彼は、何でも、なすべき時が來ればやつてのける。時間は全く問題にしないで、自然に終了する時まで追求してゆく。故に彼の或友人は此特質を次のごとき一句で要約した。曰く、《生》は彼にとつて《永遠》の一節のやうに見えたらしい」と。

運命は、何たる皮肉ぞ、かういふ性格のひとを文科大學長に任じたのである。勿論、彼はさうした事務型の官職に就くことはあくまでも拒んだのであるが、運命は彼に「その手を强ひた。」此時、變つたのは、彼であらうか、その職務であらうか。いふまでもなくアンチュリエではなかつた。いまその一例を擧げよう――大學學長の重要な行事の一つに、一學年間の動靜を調べて、教官學生の出入を明らかにし、轉任し逝去した職員があれば、それについて一言する「學事報告(ラッポール・スユール・ヴイイ)」といふものがある。それは多く型にはまつた文章で綴られてゐるが、かかる報告に於てさへ、彼は正直に徹底的に言つてのける。　逝去した教官に對する彼の讚辭は、そのありのままの肖像を書き、その長所と短所とを摘抉し、美點とともに暗黑面を隱さない。　かういふ型破りの大膽な弔辭は、學界によくある型の、表面(うはべ)では讚辭を述べておきながら、その美花のうちに毒針を含めておくやり方とは、全く異つてゐた。　そのために因襲と形式とでこりかたまつてゐた學界の一部のものには甚だしくふさはしからず、殆んど傲慢不遜なもののやうにひびいたらしい。　實に墳墓に對してさへ、アンチュリエは、「碑銘(エピタフ)のやうに語る」ことが出來なかつたのである。

アンチュリエの正直・卒直な性格が彼の周圍に健康なのびやかな雰圍氣を送つたことは疑ふ餘地がないと思ふ。　彼と接觸することは、永續的なものと一時的なものと、實在と假象との區別を學ぶことであつた。　架空の世界をこえて遠いしづけさに眼を見据ゑるのを學ぶことであつた。　彼の傍にゐることは、人のこころをしづめ、人の・こころをおちつかせた。　彼の中から流れ出る平和な感じは、恰も大都會の騷擾(さわぎ)の中で數箇月を暮したのち、海邊(うみべ)で一日を送るやうな感じであつたといふ。かかる印象は、何か偉大なものと隣り合ふところから生じて來るのが普通である。かういふ印象を與へたことによつても、アンヂュリエの人物は、ほぼ推量されるではないか。

人間としてのアンヂュリエは、以上の敍述によつて、領したと思ふ。では、學匠としての彼は、いかなる史的位相を占むべきものか。——それに對して筆者はかう答へたい。思想史に於てイポリット・テーヌに對立するアンリ・ベルグソン(Henri Bergson)の地位を想起せよ。すれば英文學研究史に於けるアンヂュリエの位置は髣髴として來るであらうと。以下この兩者の立場の類似を述べて、われらが最後の課題たる史的大觀を果さうと思ふ。

アンヂュリエも、ベルグソンとともに、科學を尊重する。然しその正確な限界を心得てゐて、これに絶對の至上權を振はせない。現に『ロバート・バーンズ研究』の序文の中でも、事物が永遠の法則のうちに捉へられ、多數の觀察の結果が法則となつてから、はじめて科學が成立することを述べ、「科學の王冠である概括化は、現實に存せぬものをのみ示してゐる」から、個性の把握を志さす文藝批評とは全く異るものであるとし、複雜多軌で且つ生命ある實相の把握をば文藝批評の特權としようとしたことを、まづ想ひ起すがよい。

彼はまたテーヌの『英文學史』にみられる分析の精緻・色彩の燦爛に敬意を表しながら、此大建築のプラン全體を、「浮動的で不安定なもの」と稱し、最も貧弱な形態の下に考へられた「機械觀の單にメカニックな解決」にすぎぬと貶し、「文學上の事實を物質界の現象と同一視し、論理的關係で結合し、勢力（エネルギー）の幾何學にしてしまふ」、一見論理的にみえるその根本體系に對しては、あくまでも反對したことを想ひ起すがよい。

更にテーヌはイギリスの社會の中に「いはば斧でぶちきつたやうな一般的な特徵をもつ」いくつかの類型を見出したのであるが、アンヂュリエはこれに反して、ベルグソンと同じやうに「極めて特殊な點をもち、各各獨特な樣式で、イギリス的感性の志向するスピリチュアリスト的レアリスムの特徵をもつ」それぞれの個性を發見したことを想ふべきである。

アンヂュリエは、またベルグソンとともに、一般的に承認され、その方法も確定的な認識から出發して、特殊なものの探求に赴くやうなやり方を拒絶する。此二人者のは、個性的なものの注意深い研究で、特異なものの偶發的なものの、不可見なものから徐徐に高まつてゆく方法である。その方法は直觀的な方法であつた。あの『リール大學文學部學事報告』(一八九八―一八九九年度)の中で「歷史的事象の完全な認識は、心理的直觀といふ分析しがたい手段を用ゐるにあらずんば到達しがたい。この直觀は個性的な經驗であり、個性的な所與である」と說いたアンヂュリエの言葉は、ベルグソンが『形而上學入門』の中で「直觀とは、對象の內部に運び去られて、その對象の特異なるもの、從つて言說を絕するものと合一するごとき知的同情をいふ」と述べたあの有名な定義と符節を合するがごとくてはないか。

かくのごとく見て來ると、アンヂュリエとベルグソンとは、文學的再構成と、精神的建築と、思想史上に擔任する方面こそ異なれ、結局同一傾向を指示したといふべきである。さうしてアンヂュリエが、その著書により、その講義により、リール大學から思想界に呼びかけた史的意義は、英文學徒の志向を、當時の獅子王たるイポリット・テーヌから引き離して、恐らく彼みづからの知らなかつた若きベルグソンの道へ導いて行つたところにあらう。前代佛蘭西思想界の巨匠が敢て行つたやうに英文學の全面を對象とせず、ただその一時代の一作家をのみ取扱ふことによつて、アンヂュリエは、若い後進の學徒に對して、テーヌ風の高慢な概括癖と科學萬能主義と、またベルグソン風の正確な探求の手段を尊び、人間的經驗を最も重んずるスピリチュアリスムとの間の結合點となつたのである。彼はまた、批評とは、文學的要素の生命なき解體と枯燥したカタログの山積とに存せず、個人に於ける生ける行爲の精究に、具象的な事實の次を追うた檢證にあるといふことを、身を以て示したのである。

アンヂュリエの史的位相は、かくのごとく考へてくると、テーヌとベルグソンと二大思想家の間に伍すべきことが明らかだと思ふ。此二大匠にくらべると、彼の活動の部門は、より狹い英文學研究といふ分野に限られてゐたけれど、その清明な聲は、若い學徒を導いて海峽彼岸の文學と思想とを究めしめ、數多きその後進をして彼の開拓せる新分野を更に擴げ更に深めさせたのである。狹いとはいへ、實に深く及んだその美しい影響は、思想史上の意義に於て必ずしも此二人者にさのみ讓るものではないと考へられる。ただアンヂュリエはリールを愛するのあまり甘んじて中央から離れてゐたため政治的・地理的不利益を多く蒙つたのであるが、それに反し、中央部の樞機に參じつつ、彼の精神を受け嗣ぎ、これを深化擴大し、着着とその理想を實現しえた次代の指導者こそソルボンヌ教授エミール・ルグイなのであつた。ルグイの時代に至つて、ベルヂャムの學風とアンヂュリエの學風とは打つて一丸とせられ佛蘭西派英文學の聲名はいよいよ全歐的に延びてゆくのである。(畢)

附記〕本文校正中に氣づいたことを二三左に書きつける。

◎アンヂュリエがレコル・ノルマル・シュペリウールに赴いた時、Chargé de cours として一時その代理となつたのがワルテル・トマである。トマは千八百六十四年五月十日の生れで、Belgique のサント・バルブ中學(Collège Sainte-Barbe)からアンヂュリエの母校ブーローニュ・スュール・メール中學に轉じてそこを卒へ、モンペリエ(Montpellier)大學文學部・リオン大學文學部に歴學し、千八百八十四年のアグレガシオンに首席として登第ディジョン(Dijon)及びナンシー(Nancy)中學の英語敎授からレンヌ大學英語講師に昇り、本文(63頁)に述べた學位論文で英文學界に認められ、リール大學講師となつたのである。在任中に“*Le Décasyllabe roman et sa Fortune en Europe*”(1904)の業績あり、千九百四年にはルグイの後任としてリオン大學英文學敎授となつた。彼は千八百九十七年にはドイツ語のアグレガシオンにも及第した程で、ベオウルフその他の古代英詩の譯業研究のあるのももつともと肯かれる。一種の比較詩學・比較韻律學の大家である。二年前に停年でリオンの職をしりぞき、今は悠悠自適してゐる。

◎余が本文を書いた時にはまだ生きてゐたアンヂュリエ門の最古參者ドゥロキニがこの五月に歿くなつた。千八百八十三年にcertifié,九十三年のアクレヂェ第一席で、九十四年來リール大學講師、千九百七年教授となつたのである。非常に嚴格な語學的訓練を施したひとであるが、また和かなユーモアにも缺けてゐなかつたといふ。チャールズ・ラムの研究をしたのもさうした性格の一致を直感してゐたからであらう。千九百八年の『カンタベリ物語』の協同佛譯本にその妙技を示して以來英詩の飜譯では、正確嚴密な點で、後進の模範と仰がれてゐた。晩年は殆んど失明に近かつたけれどストア學徒のごとく一言も苦痛をもらさす高士の俤を忍ばせつつ、入寂したさうである。

Eh, qu'importe, mon fils, qu'importe l'atmosphère ?
Point de soleil ? Jour ténébreux ? La belle affaire !
Je me moque, pour moi, si le soleil s'assombrit,
Pourvu que reste clair le jour de mon esprit.

といふそのオマル・カイヤーム譯詩の一聯こそ、彼の晩年の心境であつたらう。

◎リール大學英文學科はドゥロキニが歿し、ドラットルが去つた後今はリール出のエミール・オードラ(Émile Audra)が主任教授となり、ソルボンヌ出のオーレリアン・ディジョン(Aurélien Digeon)が次席の教授で、ロンドン大學キングス・コレッヂのドゥニ・ソーラが兼任の助教授として、二人を助けてゐる。なほリールの出身者として、ウィリアム・ヂェイムズの研究で名を知られたモリス・ル・ブルトン(Maurice Le Breton)は、合衆國文學文化講座擔任の講師(Chargé de cours)として働いてゐる。此顔觸によつてわかるやうに、今日のリールはやはりソルボンヌに次ぐ一流の英文學科を形成してゐるといへよう。(十月五日)

陳恭甫先生父子年譜坿箸述攷略（初稿）

吳守禮編

目次

年表略

年號	年數	干支	恭甫先生年齒	樸園先生年齒	事要
乾隆	三十六年	辛卯	一歲		恭甫先生生
	三十七年	壬辰	二歲		
	三十八年	癸巳	三歲		
	三十九年	甲午	四歲		
	四十年	乙未	五歲		
	四十一年	丙申	六歲		
	四十二年	丁酉	七歲		
	四十三年	戊戌	八歲		
	四十四年	己亥	九歲		
	四十五年	庚子	十歲		
	四十六年	辛丑	十一歲		
	四十七年	壬寅	十二歲		
	四十八年	癸卯	十三歲		

乾隆	四十九年	甲辰	十四歲	
	五十年	乙巳	十五歲	
	五十一年	丙午	十六歲	
	五十二年	丁未	十七歲	
	五十三年	戊申	十八歲	
	五十四年	己酉	十九歲	恭甫先生擧鄉試
	五十五年	庚戌	二十歲	
	五十六年	辛亥	二十一歲	
	五十七年	壬子	二十二歲	
	五十八年	癸丑	二十三歲	
	五十九年	甲寅	二十四歲	
	六十年	乙卯	二十五歲	
嘉慶	元年	丙辰	二十六歲	
	二年	丁巳	二十七歲	
	三年	戊午	二十八歲	
	四年	己未	二十九歲	恭甫先生成進士

嘉慶				
五年	庚申	三十歲		
六年	辛酉	三十一歲		請急歸
七年	壬戌	三十二歲		至嶺南
八年	癸亥	三十三歲		冬入都・大考
九年	甲子	三十四歲		典試廣東
十年	乙丑	三十五歲		
十一年	丙寅	三十六歲		
十二年	丁卯	三十七歲		典試中州
十三年	戊辰	三十八歲		
十四年	己巳	三十九歲	一歲	楧園先生生、恭甫先生充國史館總纂
十五年	庚午	四十歲	二歲	恭甫先生丁父憂
十六年	辛未	四十一歲	三歲	
十七年	壬申	四十二歲	四歲	恭甫先生服闋主清源書院
十八年	癸酉	四十三歲	五歲	五經異義疏證成
十九年	甲戌	四十四歲	六歲	
二十年	乙亥	四十五歲	七歲	

年號	年	干支	歲	歲	事蹟
嘉慶	二十一年	丙子	四十六歲	八歲	
	二十二年	丁丑	四十七歲	九歲	
	二十三年	戊寅	四十八歲	十歲	
	二十四年	己卯	四十九歲	十一歲	恭甫先生三家詩遺說考序成
	二十五年	庚辰	五十歲	十二歲	
道光	元年	辛巳	五十一歲	十三歲	東越儒林文苑後傳已成稿在家
	二年	壬午	五十二歲	十四歲	恭甫先生丁母憂
	三年	癸未	五十三歲	十五歲	恭甫先生主鼇峰書院、左海經辨刊成
	四年	甲申	五十四歲	十六歲	
	五年	乙酉	五十五歲	十七歲	
	六年	丙戌	五十六歲	十八歲	
	七年	丁亥	五十七歲	十九歲	編黃忠端全集成
	八年	戊子	五十八歲	二十歲	
	九年	己丑	五十九歲	二十一歲	毛詩鄭箋改字說自序成、恭甫先生總纂福建通志
	十年	庚寅	六十歲	二十二歲	尚書大傳定本刊成
	十一年	辛卯	六十一歲	二十三歲	

道光				
十二年	壬辰	六十二歲	二十四歲	禮記鄭讀攷後序成
十三年	癸巳	六十三歲	二十五歲	
十四年	甲午	六十四歲	二十六歲	恭甫先生卒
十五年	乙未		二十七歲	
十六年	丙申		二十八歲	
十七年	丁酉		二十九歲	
十八年	戊戌		三十歲	魯詩遺說考自序成
十九年	己亥		三十一歲	
二十年	庚子		三十二歲	韓詩遺說考自序成
二十一年	辛丑		三十三歲	
二十二年	壬寅		三十四歲	齊詩遺說考自序成
二十三年	癸卯		三十五歲	詩四家異文考齊詩翼氏學疏證自序成
二十四年	甲辰		三十六歲	樸園先生大挑知縣、發江西
二十五年	乙巳		三十七歲	
二十六年	丙午		三十八歲	詩緯集證自序成、樸園先生在鈐陽
二十七年	丁未		三十九歲	

年號	年	干支	年齡	事蹟
道光	二十八年	戊申	四十歲	樸園先生在弋陽、梓三家詩等書、修弋陽縣志
	二十九年	己酉	四十一歲	編宋謝枋得集
	三十年	庚戌	四十二歲	
咸豐	元年	辛亥	四十三歲	樸園先生在德化
	二年	壬子	四十四歲	樸園先生在南城
	三年	癸丑	四十五歲	
	四年	甲寅	四十六歲	
	五年	乙卯	四十七歲	樸園先生丁內艱
	六年	丙辰	四十八歲	
	七年	丁巳	四十九歲	
	八年	戊午	五十歲	樸園先生在袁州
	九年	己未	五十一歲	樸園先生編袁州府縣志纂要
	十年	庚申	五十二歲	
	十一年	辛酉	五十三歲	樸園先生歸田、「今文尚書經說考」「歐陽夏侯經說」「今文尚書敍錄」稿成
同治	元年	壬戌	五十四歲	
	二年	癸亥	五十五歲	

同治			
三年	甲子	五十六歲	
四年	乙丑	五十七歲	樸園先生受加道銜
五年	丙寅	五十八歲	
六年	丁卯	五十九歲	
七年	戊辰	六十歲	樸園先生在江西臨江
八年	己巳	六十一歲	樸園先生卒於撫州

按、會試以鄉試之次年(丑未辰戌之年)三月舉行、如恩科鄉試或在三月者、會試則在其年八月、嚴懋功清代徵獻類編卷十二舉歷朝殿試科數曰「乾隆朝自元年丙辰至六十年乙卯止、凡二十七科、內丁巳·壬申·庚辰·辛卯·庚子·庚戌·乙卯·凡七科、均係恩科、嘉慶朝自元年丙辰至二十五年庚辰止、凡十二科、內丙辰·辛酉·戊辰·己卯凡四科、均係恩科、道光朝自二年壬午至三十年庚戌止、凡十五科、內壬午·壬辰·丙申·辛丑·乙巳凡五科、均係恩科、咸豐朝自二年壬子至十年庚申止、凡五科、內壬子係恩科、同治朝自元年壬戌至十三年甲戌止凡六科、」讀者宜以參稽焉

主要引用文　（簡稱）

陳壽祺・・隱屏山人傳（左海文集卷九）……………………自傳

陳喬樅・・誥授奉政大夫奉政公行實（禮堂遺集卷三）……………………行實

高澍然・・奉政大夫翰林院編修記名御史陳先生壽祺行狀……………………行狀

阮元・・隱屏山人陳編修傳……………………阮傳

陳善・・福建通志儒林傳……………………陳傳

周凱・・陳恭甫先生家傳……………………家傳

右四傳見嘉興錢儀吉編碑傳集卷四十九

陳衍・・新福建通志儒林傳……………………衍傳

中華書局印清史列傳儒林傳……………………清傳

謝章鋌・・左海後人樸園陳先生墓志銘（見賭棋山莊集卷七）……………………墓銘

年譜

先世

先世農也、其在明中葉、由泉州惠安後坑鄉、遷晉江後市鄉、國初再遷郡城、高祖處士文侯公、始徙居福州、曾祖處士植園公、寬厚長者、年八十終、祖贈奉直大夫、雲田公始發憤爲儒、補縣學諸生、性夷曠、父老子弟皆樂從之遊、年八十有一終、父封奉政大夫歲貢生東麓公、端謹質直、敎授鄉里、主講仙遊・龍巖・邵武・泉州・漳州・上杭書院、皆有經法、弟子多學科名者、事實詳儀徵阮相國所撰奉政公墓志、奉政公生子三、長卽先奉政(恭甫)也、叔父壽愷早逝、生子四人、其二夭亡、季父履祥縣學生、亦早逝無子、以叔父之三子喬樅爲後、(行實)

(考注) 參看先祖行實(左海文集卷十)家譜序(左海文集卷六)

系譜略

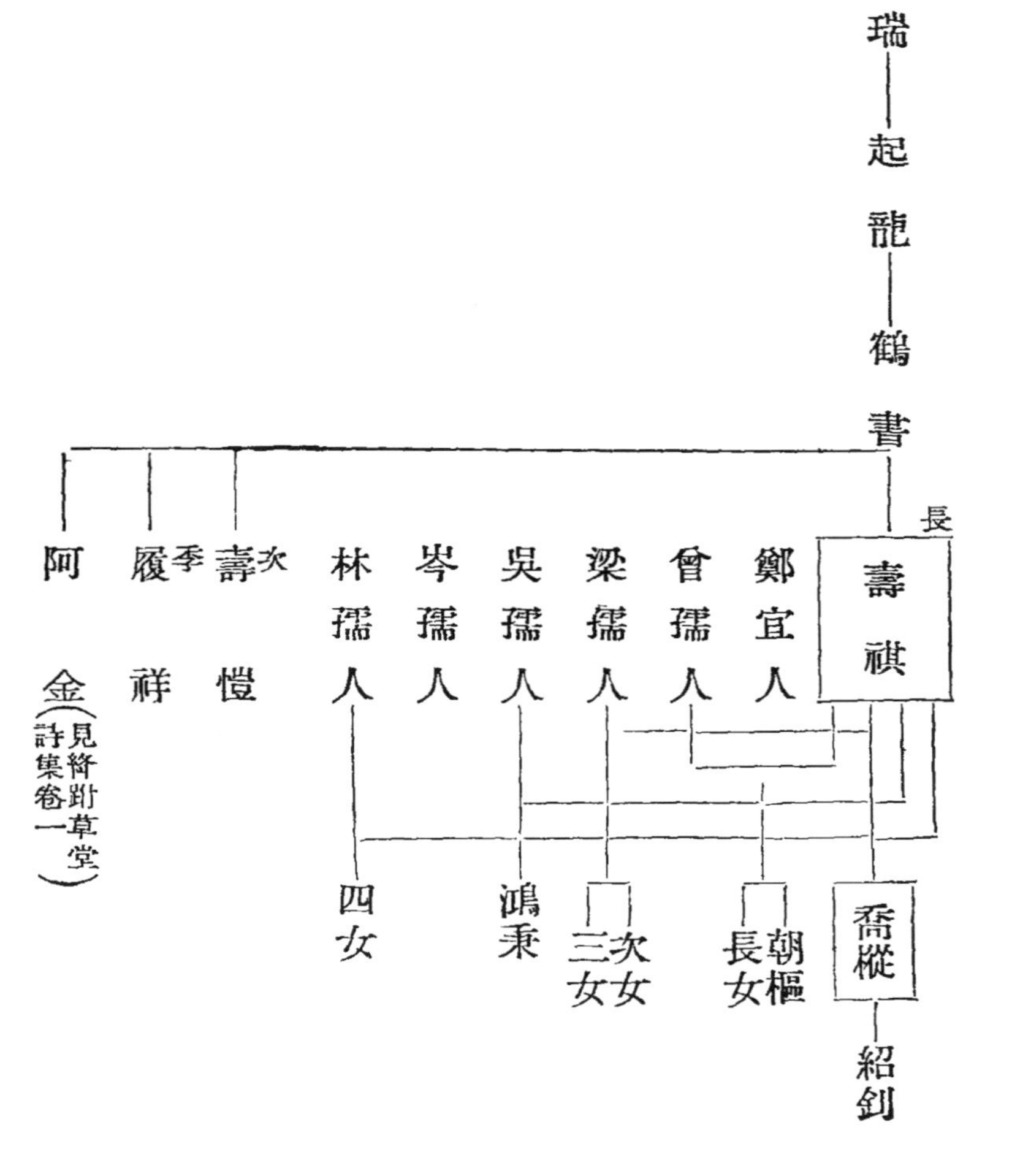

陳式璜
應瑞
起龍
鶴書
長
壽祺
鄭宜人
曾孺人
梁孺人
吳孺人
岑孺人
林孺人
次
壽愷
季
履祥
阿金
（見絳跗草堂詩集卷一）
喬樅
紹釗
朝樞
長女
次女
三女
鴻秉
四女

乾隆三十六年（辛卯）　一歲

是年二月十七日恭甫先生生（行實）

先考、姓陳氏、諱壽祺、字恭甫、一字葦仁、號梅修、生有至性、幼卽岐嶷（行實）

陳壽祺、字介祥、又字恭甫、一字葦仁、號梅修、又號左海、（陳衍儒林傳）　晩號隱屛、作隱屛山人傳（行狀）（隱屛山人者、養拙之遺老、非比冥之逸民也、山人雅慕武夷仙山水、老而不能遊、臆想五曲之大小隱屛、什紫陽精舍在焉、迺取以自號也、）（自傳）

按先生別號南澗、又有遂初樓・絳跗草堂之號皆係其齋號、恭甫先生贈林少穆兵備入都補官詩（詩集卷一）有「何由北山移、得傍南澗道」之句、自注云、君（指林則徐）嘗戲余以徵召之言、故云、蓋南澗之號、出於此、詩作於乙酉（道光五年）時先生已五十五歲、丁母憂主鼇峯書院之三年、已無出仕之志、故託於詩采蘋也。

（考注）　是年徐鼎「毛詩名物圖說」刊成、　孔繼涵・邵晉涵・孔廣森・周永年成進士　同歯朱爲弼・陸耀遹・黃承吉生　朱仕琇五十七歲　戴震四十九歲　紀昀四十七歲　程遙田四十六歲　錢大昕四十四歲　朱珪四十一歲　翁方綱三十九歲　段玉裁三十七歲　王念孫・汪中二十八歲　孔廣森二十　李賡芸・伊秉綬十八歲　吳鼒十七歲　宋湘十六歲　郝懿行十五歲　徐養原十四　張惠言・江藩・嚴杰十一歲　阮元八歲　洪頤煊七歲　王引之六歲　臧庸五歲　許宗彦四歲　洪震煊

二歲

乾隆三十七年(壬辰)　恭甫二歲

(考注)　上諭編纂四庫全書　金榜中狀元、方東樹・孫爾準生

乾隆三十八年(癸巳)　恭甫三歲

(考注)　四庫館開館　吳榮光・江有誥・汪鶴壽・嚴元照・洪飴孫生　杭世駿・曹學詩・劉統勳卒

乾隆三十九年(甲午)　恭甫四歲

(考注)　盛百二「尙書釋天」刊成　莊綬甲・劉逢祿生

乾隆四十年(乙未)　恭甫五歲

五齡出就外傅、讀書一目數行、背誦如瀉水、擧止端重、見者皆驚歎爲遠到之器、(行實)

(考注)　王念孫成進士　同縣梁章鉅・何治運・林春溥包世臣・兪正燮・徐同柏・胡世琦・凌曙生

乾隆四十一年(丙申)　恭甫六歲

山人幼穎異、六歲從周立巖先生遊所謂梅社七子者也、先生喜之、每客至、輒令背誦所授書以誇之(自傳)

（考注） 周立巖名秉禮、字克章、立巖其號也、侯官人、（陳衍福建通志儒行傳所引二勿齋文集）行狀曰、其師周立巖君、梅社七子之一也、所遊多名流、客至輒擧架上書、屬客摘試先生、用以自豪、於是里人咸目先生爲異童、羨立巖君得先生爲弟子也、 是年臧禮堂・宋翔鳳・胡承珙生

乾隆四十二年（丁酉） 恭甫七歲

（考注） 陳士珂（「韓詩外傳疏證」撰者）中擧人、 蕆震生 姚椿・賈田祖卒

乾隆四十三年（戊戌） 恭甫八歲

先生生八歲、從大父學於外塾、（自傳謂「既而從大父受業」者）時方食、値家告匱、謂之曰、兒啖飽飯、爾母日午未炊也、卽吐飯流涕、乞歸視母、令畢食曰、尙何能食也（家傳）

（考注） 許桂林・陳逢衡・錢侗生 余蕭客卒

乾隆四十四年（己亥） 恭甫九歲

九歲通羣經、有異童目、擧架上書隨試之解、輒出新義（家傳）

先生生秉異質、過目成誦、九歲遍通羣經（行狀）

（考注） 是年林一桂中擧人、陳衍儒林傳曰、林一桂字則枝、號鈍村、侯官人、乾隆己亥擧人、箸「周官長編」數十巨帙「讀周禮私記」三十卷、匹之衞正叔禮記集說、有過之、無不

及、兩稿相傳並傳陳編修壽祺家、　按恭甫先生呈芷林藩伯詩（詩集卷五）自注曰、林鈍村敎諭、撰「周禮私記」六十巨冊、採摭極博、余屢索之其後人、稿幸僅存　徐璈（詩經廣詁撰者）生

乾隆四十五年（庚子）　恭甫十歲

（考注）　王鳴盛「尙書後案後辨」刊成　莊述祖・李惇・錢塘戚學標成進士　錢儀吉生
朱仕琇・劉大櫆卒

乾隆四十六年（辛丑）　恭甫十一歲

（考注）　顧九苞成進士　張澍・徐松生

乾隆四十七年（壬寅）　恭甫十二歲

十二歲爲文、每出一藝、往往皆驚老宿、性靜專且敏、每風雨一燈、竹窻夜靜、伊唔聲弗輟也、其在外坐客盈滿、顧取架上書、翻閱移晷、則已能點識之矣、成童淹貫羣籍、文藻博麗、其少作詞章卽有六朝三唐風格（行實）

十二歲、文成奧博、見者莫名所出、已旁及駢體、詩歌突入唐初四傑、漸於燕許（行狀）

（考注）　正月「四庫全書」成　胡培翬・馬瑞辰生

乾隆四十八年（癸卯）　恭甫十三歲

（考注）李貽德生

乾隆四十九年（甲辰）恭甫十四歲

（考注）是年嚴蕨「詩攷異補」自序成　王筠生　李惇卒

乾隆五十年（乙巳）恭甫十五歲

游鄉賢考功孟先生之門、先生目以國士、少稍事詞章（自傳）

年十五、應童子試、每試輒冠軍、補縣學生、遊鄉賢孟考功瓶菴先生之門、先生愛之待以國士、家貧、試高等、先生貲助之、補廩餼、嘗謂人曰、十年後福州將有通儒出、陳生其是也、時先生（孟瓶菴）主講鼇峯、延人長德多士景從、人才爲盛（行實）（按此行狀所謂爲傳經之學者也孟超然者字朝擧、號瓶菴（雍正九年生嘉慶二年卒）閩縣人、乾隆二十五年進士、表宋儒魏了翁爲士式、著有「喪禮輯略」等八書）

（考注）林則徐・姚瑩生

乾隆五十一年（丙午）恭甫十六歲

（考注）汪龍・中擧人　陳奐・汪喜孫生　孔廣森卒

乾隆五十二年（丁未）恭甫十七歲

先生年十七、與名宿陳秋坪・黃耦賓・林學陵・許子錦諸君子爲文字之遊、之數人者、皆已擧於鄉、率年長以倍、或十年以長、皆偉視之、秋坪先生嘗（按、行狀作將官四川之時）謂先考曰「當以千

秋自命、勿爭名一時」(實行)

(考注)　陳秋坪者名登龍、字壽朋、秋坪其號也、乾隆三十九年舉於鄉所著有「讀禮餘篇」等(東越文苑後傳、衍傳)

年十八(禮按當作十七)値臺灣有林爽文之亂、先考有「海外紀事詩」之作、鄉先生薛檀河(衍王)大令見之、擊節曰、此「諸將」嗣音也、如是襟抱、想見范文正作秀才時、擔當世宙氣概、其爲名流傾倒如此(實行)(林爽文於乾隆四十八年渡臺灣、同五十一年叛、五十二年十月陝甘總督福康安率大軍討之、十二月平、紀事詩今存詩集卷五、注曰「丁未作」是也、翌五十三年(戊申)福康安凱旋、恭甫先生另有平定臺灣恭紀六首)

壽祺亦遺書同縣薛玉衡、自咎不能高行遂學擔荷世宙如宋廣川・範希文、雄節偉略・建樹奇勳・如終孺子・班仲升、焠掌苦學・自不窺園如董廣川・何邵公、然自守澹靜、力絕徵逐、非同志、一人不妄交、而其胸中時有浩浩落落慷慨鬱勃・不可告人之意、其年少自狀如此(衍傳)

按、自咎之語見左海文集卷五「與薩蕙如書」、書云、「……壽祺鄙隨諸君子之末、初識執事……雖顓蒙私、未嘗不以執事爲古之人・而非今之人也、壽祺年十有七、弱植侗侗未遠塵俗・執事承文獻之遺、負箸作之能……如壽祺等、比其視、猶鷽鳩斥鷃也固宜、乃頃者一俯觀鄙作、遂殷然而奬進之、出所有以酬之、降德以親納之、壽祺茲則念不敢至焉、且夫天下之患、向聲背實、闇於自見、文人相輕自古所譏、丈夫平生得一知己、豈以自雄、亦務於聞致、以蘄自繩度而已…」

(考注) 詩集卷五「弔副都御史上海陸耳山先生」(嘉慶三年作)序曰、乾隆庚戌(五十五年)先生以副都御史、再赴盛京、挍四庫全書、忍凍得疾、竟不起、憶丁未己酉(即乾隆五十二年至五十三年)間、先生督閩學、壽祺未及弱齡獨蒙容接、時鼇峰山長則考功孟瓶菴夫子、撫部則徐兩松先生、愛士深至、士亦知數公之相得益彰也、數年後老成踵謝、此風不復睹矣、舊時桃李觸緒淒然、詩以弔之。

乾隆五十三年(戊申) 恭甫十八歲

洎嘉勇公福大將軍(康安)平臺凱旋、其參軍郭有堂先生、先考母家族叔祖也、聞先考才名、屬撰上福嘉勇公百韻詩並序、沈博絕麗、一時傳誦、稱爲才子之文、其序一篇、今刊集中、同年武進張皋文(惠言)編修所稱擬之燕許何多讓焉者是也(行實)

(考注) 序見左海乙集卷一、題爲「平定臺灣代郭有堂參軍上嘉勇公福大將軍百韻詩序」 是年梁履繩中舉人 朱駿聲・薛傳均生 莊存與卒

乾隆五十四年(己酉) 恭甫十九歲

年十九、舉乾隆己酉恩科鄉試第二名、座主爲憲副平湖陳春淑先生、工部陽湖劉松坪

先生、二三場經策淹洽、獨出冠時、士論翕然、既而赴禮部試報罷、則益肆力於學、研精竭思、無間寒暑、人莫能窺其所至也(行實)

(考注) 阮元・伊秉綬・淩廷堪成進士　劉文淇・夏炘・黄式三生

乾隆五十五年(庚戌)　恭甫二十歲

値先生(孟超然)六十初度、門弟子僉請稱觴介壽、謀爲屏幛之文、先生未之許也、既而曰、必得陳生(恭甫郎先生也)爲文則可矣、其見褒異如此(行實)

(考注) 屏障之文今存左海乙集卷二、題爲「代徐兩松爲孟瓶菴先生六十壽序」　趙懷玉箸「韓詩外傳及補逸」刊成

是年李賡芸・桂馥成進士　方履籛生　錢塘・陸錫熊卒

乾隆五十六年(辛亥)　恭甫二十一歲

(考注) 周廷寀「韓詩外傳校注」、周宗杭拾遺坿西漢儒林傳經表」刊成　刊始乾隆石經　錢泰吉・劉寶楠生

乾隆五十七年(壬子)　恭甫二十二歲

恭甫先生過楓嶺・惠安鹽場等處、有詩

(考注)　龔自珍生

乾隆五十八年(癸丑)　恭甫二十三歲

(考注)　江聲「尚書集注音疏」刊成　王紹蘭成進士　祁寯藻·柳興恩生　梁履繩卒

乾隆五十九年(甲寅)　恭甫二十四歲

夏、先生與朱小岑(依眞)盧子湘(金鑄)相識於南靖官廨、(見詩集五、「聞漳州大水後寄諸同人」詩注)旋將起程上京、有題「自南靖返漳州同人以詩問訊次答」、詩(詩集卷三)曰

問我雙溪去　何由託短篇　荔雲燒火樹
梅雨漬蠻煙　物色偏銷夏　交遊可判年
因君話離合　松月爲人圓

(考注)　乾隆石經刻成　魏源·汪遠孫·丁晏·馬國翰·梅植之生　汪中卒

乾隆六十年(乙卯)　恭甫二十五歲

三月恭甫先生抵都、四月南歸、有題「乙卯季春抵都逾月南歸」詩(詩集卷六)曰

一枕春明夢易醒　天涯舊雨半飄萍
多情前月河橋柳　猶向行人故故青

原注曰、是歲挑選擧人、故交多奉檄以去

(考注)　陳慶鏞生　盧文弨卒

嘉慶元年（丙辰）　恭甫二十六歲

（考注）　吳式芬生　邵晉涵卒

嘉慶二年（丁巳）　恭甫二十七歲

恭甫先生之師孟超然卒、先生有「追哭孟瓶菴夫子」詩、以弔之（詩集卷五）

（考注）　王鳴盛卒　孟超然卒

嘉慶三年（戊午）　恭甫廿八歲

恭甫先生在家、研經義鑽小學、「上儀徵阮夫子請定經郛義例書」（左海文集卷四）曰「……郛者歲在箸雍敦牂（戊午）養素家衖、亦稍事綴輯、取便瀏覽、人事牽迫、廢焉不修……」

先生再上京將應明年會試、路中有「旅感呈謝甸男（震）四首、」（詩集卷五）其第一首曰

朔風吹月度滄洲　日莫煙波萬古愁
但聽陰陽吹急景　寧知天地寄扁舟
揚雲弔楚功名薄　鄒衍遊燕道路脩
人世茫茫幾鴻鵠　玆行不必問浮沈

又「和謝甸男無題二首依韻」曰

廿載飄零劍氣昏　青尊細雨夜深論

詞人自撰元和頌　兵法誰通太乙門
阨塞山川問戶佼　激昂肝膽託平原
鼉才媿擲封侯筆　潦倒靑衫有酒痕
（考注）　侯康生

嘉慶四年（己未）　恭甫廿九歲

年廿九歲嘉慶己未會試中式、第廿名進士、座主爲大興朱文正公・長沙劉相國・儀徵阮相國・長白文侍郎、殿試二甲第六十九名、四月朔太史奏日月合璧、五星聯珠、請付史館、睿廟弗及、會闈榜出、論者以爲是科人材之盛、上接康熙己未・乾隆丙辰兩科鴻博而先考與張編修（惠言）王尙書（引之）榜中名次適相聯屬、亦異事也（行實）　會試闈中、其卷爲人所遏、元（阮元）言於朱文正公曰、師欲得如博學鴻詞科之名士乎、闈某卷經策是也、遏者猶摘其四書文中語、元曰此語出白虎通、於是文正公由後場力拔出之、旣選館職（翰林院庶吉士）文正公（時爲翰林院掌院）愛其才重視之、在都下、以經術文章、與同年武進張惠言・全椒吳鼒・歙鮑桂星・高郵王引之齊名（阮傳）　座主朱文正公儀徵公爲學者山斗（行狀）　闈中自李光地官獻瑤爲宋儒之學、兼及漢儒、壽祺初受業於孟超然、爲宋儒之學、及出阮元之門、又交一時樸學之士、因全學漢儒治經、精於今文殘剮之學、而於大義名物、又能貫徹而博辨之（衍傳）

（考注） 阮元揅經室二集載是年會試策問、玆錄有關經學者如左。

問、孔子假年學易、雅言詩書執禮、易有三而周易獨傳、漢晉唐宋說、能擇其精而析其弊歟、乾坤象龍馬用九六、然則象數可偏廢歟、詩言志・聲依永・律和聲、有詩而後有韻律歟、或詩韻必取同部、間有分合然歟、同部假借轉注能言其例歟、詩中訓詁見於爾雅者幾何、未見者幾何、尙書見於史記漢書者孰爲古文孰爲今文、孔蔡傳解句讀、可別白參解否、堯典中星至周而差、恒星東行確可據歟三江舍經文則支條、岐出淮泗何以通菏、敷淺原・三毫確在何地、儀禮宮室制度若誤、則儀節皆舛、試擧正之、鄭注後孰精其業、試指數之、周禮小司徒田賦與司馬法異而同歟、鄭注讀爲讀若之例與許愼同否、禮記月令節物・可與夏小正呂覽諸書參攷歟、經注正義訛脫可校補歟、我國家經學昌明其各擧所以對

問、正史二十有四、應補撰注釋音義者何書、表志與紀傳竝重、孰詳孰闕歟、儒林文苑道學應分應合歟、史通所論得失參半歟、編年與紀傳分體、資治通鑑前何所本、後何所續歟、二劉范祖禹胡三省輩、有功司馬者何在、紀事本末體何所倣、袁樞以後誰爲繼作、通鑑綱目何所裁別、夫經述修治之原、史載治亂之蹟、疎於史鑑、雖經學文章何以致用耶、我朝史法遠邁前代、舊唐書・舊五代史備列於正史、御批通鑑輯覽及評鑑

闡要・欽定明史及通鑑綱目三編・于宋明閏位并存年號・以示大公・遜國復避議禮三大案、皆有定論、直紹春秋以垂敎萬世、諸生能講貫條擧、徵體用之學歟、

問、察吏所以安民也……

問、弭盜之法寄於軍政……

（考注） 宋鑒「尙書攷辨」刊成　會試同年成進士者有「姚文田（秋農一甲一名） 王引之（伯申） 張惠言（皋文） 郝懿行（蘭皋） 張尉（介侯） 宋湘（芷灣） 趙在田（穀士） 王崧（伯高） 馬宗霍（魯陳） 鮑桂星（覺生） 謝震（甸男） 吳鼒（山尊） 吳榮光（荷屋）等」 何紹基生　江聲・武億卒

嘉慶五年（庚申） 恭甫三十歲

壯治經義小學及古文詞、湖遊於六藝、斟酌於馬班韓柳歐蘇、而下逮震川、濡染於當世鉅人通儒士大夫、其學益進（自傳）（當世鉅人通儒指錢大昕・王念孫・段玉裁・程瑤田等）

嘉慶六年（辛酉） 恭甫三十一歲

初山人營通籍詞垣請急歸（自傳）

辛酉散館（授編修）其先已改部矣（行實）

朱珪（石君先生座主）特奏、以滿洲及邊省翰林人數甚少爲言、仍授編修、同留者數人、實專爲詩祺發也（行傳）

是秋南歸(見左市文集卷一廣東鄉試錄後序)奉旨授編修、先生被知睿廟自是始、受職後假歸(行狀)適坐主阮公巡撫浙江、進謁、愕曰、大考期邇胡歸爲、先生以兩世高堂・閩中饑・恐無爲食對、公爲憮然(凱傳)

會元(阮元)巡撫浙江、延主杭州敷文書院、兼課詁經精舍生徒元修海塘志・且纂羣經古義爲經郛、請祺皆定其義例焉(阮傳)

按之左海文集卷四、存「上儀徵阮夫子請定經郛義例書」及「經郛條例」兩文、所述頗發明所以原本訓詁・會通典禮・存家法而析異同之意

是冬在杭州、有歲暮懷人道中作七首(詩集卷六)此詩可據以考見先生苟不泛交且問學有徑

宏長風流阮侍郎　長裘蓋徧海天荒　自憐繞樹南飛鵲　深惜東方下夕陽

(原注)　過杭州謁巡撫阮雲台(元)夫子

絕海呑爻接孟僖　文章氣誼託心知　如何驚代張平子　也學金閨溯苦飢

(原注)　同年張皋文(惠言)精虞氏易近亦苦貧有歸志

蓬萊文章建安骨　山尊高譽滿人寰　即緣冬笋霜中綠　一夕煙情墮歙山

(原注)　吳山尊(鼒)自言冬初將乞養歸　山尊全椒人居歙

珠玉爲心手抉雲　論文誰似鮑參軍　扁舟孤負滄波去　一曲靑琴不可聞

（原注）鮑覺生（桂星）贈行詩有碧海孤桐奏之句

家業王陽學世稀　千秋許鄭悄通微　輜車歸補方言字　莫遣春風減帶圍

（原注）王伯申（引之）素善病今秋典試黔中

李蔡高風薄漢霄　百年鄉臺歎蕭條　故人導我津梁在　天外悲風起大招

（原注）湯敦甫（金釗）嘗以李文貞蔡文勤學業勗我、二公皆壽祺鄉前輩也

甸男短褐尙蒿萊　沾酒兒闔欲飲哀　應是身宮坐磨蝎　半生箕斗困奇才

（原注）謝甸男（震）流寓姑蘇

是年張惠言爲「左海乙集駢體文」作題詞

（考注）周邵蓮詩「攷異字箋餘」（卷十四）是年刊成　高澍然中擧人、洪頤煊爲拔貢　章學誠・金榜・龔景瀚卒

嘉慶七年（壬戌）　恭甫三十二歲

恭甫先生過蘇州、見段玉裁（參見本譜嘉慶九年及恭甫先生答段茂堂先生書」（文集四））

孟春至嶺南（見詩集卷二「仙掌石歌」及「贈梅詩序」）

在羊城會宋湘（詩鈔卷五答宋芷沅用元韻）

(考注)　參見張靈瑞宋芷灣先生年譜(中山大學週刊三〇三期)　朱桓「毛詩名物略」刊成　謝啓昆・張惠言卒

嘉慶八年(癸亥)　恭甫三十三歲

是年大考、恭甫先生別越中學生

(考注)　詩集卷五有題「越中諸生數百人悉題余西湖講舍校經圖爲別・賦此以謝之」詩一首、曰

偶然鴻爪踏湖波　湖上談經意若何　如此江山天天少　古來吳越霸才多
文翁禮殿思圖像　王式諸生誦別歌　慙負元亭問奇者　何曾心畫付編摩

性至孝不忍言仕、家貧無食、父命之入都(清史列傳)

癸亥冬入都(阮傳)

恭甫先生寄書與王引之(見王壽昌等作「伯申府君(王引之)行狀」曰「癸亥大考、欽取一等第三名、擢侍講、閩陳恭甫先生遺府君書、謂是名儒分內事、不足爲不朽千秋者異…」)

是年爲七言律詩跋梁玉繩「蛻稿」(梁氏叢書及左海詩鈔卷二、)

嘉慶九年(甲子)　恭甫三十四歲

得段玉裁來書、(即左海文集坿載甲子三月金壇段茂堂先生書)書曰

恭甫先生閣下、自壬戌年得奉教益、直至於今、每深馳想、先生人品經術、皆不作第二流人、聖心簡在、尅天下重望、弟已老甚、所仰霖雨蒼生也、比來大箸能見示一二否、玆因臧西成（庸）入都、布問福安、西成言學其推尊者惟先生、雅有水乳之契、相晤之樂可知也、玉裁頓首（段玉裁是札、其卅載左海文集者與左海經辨所載頗有出入）

（考注）　阮元「臧拜經別傳」曰「嘉慶……九年入京應順天鄉試」（拜經文集）

夏五月十五日奉命典試嶺南爲副考官（按正考官陳嵩慶字荔峯）得士何惠群等七十人（文集卷一、淸傳行實）

先生方典試廣東、大父卒、先生聞耗、病臥數月、卽思乞養、請於父文學公、文學年未耆、格例勿許、乃止（家傳）

（考注）　錢大昕卒

嘉慶十年（乙丑）　恭甫三十五歲

是時恭甫先生在都、寄書于臧庸、往復論學、

臧庸拜經日記卷十「齊宣王取燕十城」條下坿載恭甫先生按語、按之左海文集卷四上有「答臧拜經論禮辭韻」之一書曰、

頃見執事孟子齊伐燕攷、鉤稽精諦、破數千載膠轕之疑、悅服無已、既以一二請質、（禮按謂拜經日記卅注之按語）過辱嘉納、有若江海之善下、復示儀禮冠昏辭說、致所不逮、非所謂矜其蒙

而欲彪之以文者也……」

孟秋、臧庸作「答陳恭甫編修論冠昏辭韻書」書曰「手書示之詳、而辨之力、古人論學不肯爲苟同之論、如其相合則信之不疑、斯眞三代直道之風、足以辨黑白、而定是非者、感甚感甚、特庸尙有所疑敢敬質之……」（拜經文集）

又七月晦日臧庸有「再答陳恭甫編脩論韻書」而恭甫先生原札未見

（考注）　臧學標「毛詩證讀讀詩或問」刊成　胡承珙・馬瑞辰・李黻平・徐松成進士　張穆・鄒漢勳生　紀昀・桂馥・劉台拱・鍾褱・臧禮堂卒

嘉慶十一年（丙寅）　恭甫三十六歲

（考注）　鄭珍生　朱珪・錢坫卒

嘉慶十二年（丁卯）　恭甫三十七歲

丁卯復典試中州（河南鄉試）得士曹瑾等七十八人、其衡文嶺南中州也、嘗遍二三場遺卷一二萬盡閱之、一覽十行、日閱千卷、以爲不如是心猶未盡也同考官皆服其精力爲不可及（實行）

（考注）　左海文集卷一河南鄉試錄後序云「嘉慶十二年秋七月奉命河南考官以臣壽祺副臣士彥往典厥事……」者是也

是年夏味堂「詩三百篇原聲」刊成　汪輝祖・王昶・丁杰卒

嘉慶十三年(戊辰)　恭甫三十八歲

夏、恭甫先生在京師從事五經異義疏證

按「異義疏證」自序曰「五經異義漢許愼撰、鄭玄駁……近人編輯、僅存百有餘篇……嘉慶戊辰夏余養痾京邸、取而參訂之、每徵錄尤詳者、若文多差互、仍兩載之、其篇題可見者二十五事、第五田稅、第六天號、第八罍制三事、篇次尙存、其它以類相從、略具梗概、復試取諸經義疏諸史志傳、說文・通典・及近儒著述、與許鄭相發者、以資稽覈、間坿蒙案疏通證明、釐爲上中下卷、踰五年侍太宜人里第、暇日質之吾友萬世美……」

參見嘉慶十八年

(考注)　錢儀吉・包世臣中擧人、

嘉慶十四年(己巳)　恭甫三十九歲　樸園一歲

樸園先生、名喬樅、字樸園、一字樹滋、號禮堂(衍傳)

(恭甫先生)己巳會試、分校禮闈得士那彥等十八人……屢蒙睿廟知眷、與校士之任、皆拒請託、絕投謁、精於衡鑒得士多知名、今之位給諫、列曹郎、莅監司方面者、數十人(行實)

壽祺先於嘉慶十四年、充國史館總纂、專剏儒林文苑兩傳、尋以憂歸(左海文集卷五與方彥聞令君書)

是年得德清許周生(名宗彥)駕部札、附載左海文集卷首、書略曰「夏間得手示得稔道履：：陳司馬返浙、見大箸李忠毅神道碑、筆堅詞邃、有初唐人風格　閣下欲箸之書、已成一二種否、近時兼詞章經術而有之、且各極其精者惟閣下深細古茂、實逾於竹垞・堇浦(按朱彝尊・杭世駿也)兩君、不朽之業斷在是矣

(考注)　是年趙在翰所輯「七緯附補遺附錄」刊成、　陳立・馮桂芬生　洪亮吉・凌廷堪卒

嘉慶十五年(庚午)　恭甫四十歲　樸園二歲

(恭甫先生)在輦下十年、恬然寡交遊、人亦憚其方、不之暱、獨座師數公善視之、異於他弟子、同歲生數人知而愛之、相待如昆弟、有貴人欲羅之門下處以要津、山人峻却焉弗屑也……中亦頗被公卿論薦京察、書上考擬倍內廷供奉、皆卒不見用、再擧臺職、一記名而已(自傳)

(是年)以丁大父(名鶴書字錫三、一字東麓)外艱歸、時歲在庚午秋也、(按擘經室二集載阮元所爲墓志銘、作七月卒、年六十有五)初先考(謂恭甫先生)將以是歲逾秋告歸省親、未幾遽遭大故、銜恤星奔創鉅痛深、乃自悔其入仕之非、其所述(按謂左海文集十所載「先考行實」)至令人不忍卒讀、先考年方四十、卽抱勇退之志矣(行實)

山人(恭甫先生自謂也)素愛其師孟考功之詩曰四十歸田有二親」以爲吾它不逮吾師、庶幾退

栖之勇可自決也、及丁外艱年四十、山人歎曰吾百不逮吾師遠矣(自傳)

按、行狀曰、孟考功歸養、年四十、不更仕、先生勇退如之、可謂不負師門也

是年、嚴杰爲「左海經辨題詞」、曰「師於古今學術、精識其淵源、每覵一誼、多發前儒所未及、即賀、許、鄭二公、知無以易吾師之説也庚午冬日、受業嚴杰識」

(考注) 是年邵懿辰・陳澧生

嘉慶十六年(辛未) 恭甫四十一歲 樸園三歲

先生在鄉里服喪

(恭甫先生)既歸、適中丞張公(張師誠也)入覲、睿廟命注御製全史詩、携帶回閩纂辨、延先考總其事、剋期告竣、其中每有所發明皆先考筆也、書成入奏稱旨、奉睿廟上諭有云、甚能代朕立言、抒朕未發之旨、中丞公賞錫便蕃、先考絕不自衒人不知其爲先考所作也(行實)

嘉慶十七年孟夏臧庸作荅陳恭甫太史書(拜經文集三)書中有曰「張中丞既能禮賢閤下、獲近侍養、甚善、特踪跡更遠、郵書多稽、不勝悵然耳……」餘頗及自家身內事、併乞恭甫先生援言、恭甫先生與臧氏交情之至可想見也而臧庸竟以是年七月卒于吳美存編修(名其彥)館中、年四十有五(參見阮元作臧拜經別傳)

(考注) 是年劉燦「嚴氏詩緝補義序」成 林則徐成進士 曾國藩・莫友芝生 臧庸

卒

嘉慶十七年（壬申）　恭甫四十二歲　樸園四歲

（先生）服闋、自傷祿不逮親、因乞養母不出（自傳）　是年起主泉州淸源書院者十年、訓以經術、多士奮興、一洗空疎之習、（行實）　陳給事慶鏞其最也（陳林儒傳）　按、嘉慶二十年、夏五月、恭甫先生作泉州淸源書院先賢祀位記、自謂余忝茲席四載、校藝外、與諸生言修身厲學不敢倦顧（左海文集八）　先生既不仕、資教授自給、曰、我先人懷業委祉後人者在此、泉州爲先生故里、又奉政公過化地也、與諸生款洽不啻家人父子、其致使泉士、知尊親、崇禮讓、傳以經術、冀變其俗、諸生化之、斌斌向風矣（行狀）

是年恭甫先生編輯東越儒林文苑後傳　按、左海文集（五）「與方彥聞書」曰、「明年（嘉慶十六年）宮保儀徵公適在京師、當事延之獨纂儒林傳、嘗以書屬壽祺採掇閩中人物、是時壽祺方爲張撫部恭注仁廟聖製全史詩、未暇秉筆、踰年（十七年）編輯二卷、上之史館、而儀徵公已奉命以漕師赴南河矣……」

（考注）　高澍然「詩音」子孝祚校印之、　三月十日、迮鶴壽「齊詩翼氏學自序」成

嘉慶十八年（癸酉）　恭甫四十三歲　樸園五歲

春、正月、恭甫先生自序五經異義疏證、秋、八月、先生弟子仙遊王捷南、爲先生五經異義

疏證後序、並任校錽事、互見嘉慶十三年本譜

十一月金壇段玉裁作書與恭甫先生、書曰

辛年握手匆匆、以爲大兄先生卽出就維揚之館、相晤不難也、旣而知蘭陔色養、講席卽設閩中、無任馳溯、海內治經有法之儒、爲吾兄首屈一指、「禮記鄭讀攷」等書、尙未拜誦、卽爲弟解紛之作、亦未得一見、兩年來箸述想甚富、弟明年八十、老至而眊及之、不能硏精、殊可歎也、未悉尙能相見劇談否、在東已作古人、厚民饑軀鹿鹿、玆因江子蘭沅之便、肅候侍奉近安、子蘭與顧千里蘇之二俊也、𥨸吳弟段玉裁頓首

是年與邑中士君子爲閩淸陳氏二先生建合祠于其學明倫堂之後（左海文集八）

梁章鉅入都先生爲詩贈之（詩集五卷）

是年福鼎貢生王遐春取明成化本「林邵州遺集」二卷託恭甫先生考定而刻之（參見金雲銘氏「協和大學陳氏書庫福建人集部箸述解題」（協大學術第三期）及左海文集內）

（考注） 洪震煊拔貢、陳僅中擧人　錢大昭、吳鼒、莊逵吉卒

嘉慶十九年（甲戌）　恭甫四十四歲　樸園六歲

恭甫先生寄「五經異義疏證」于段玉裁（茂堂）阮元（芸臺）郝懿行（蘭皐）

按、左海經辨卷首坿載甲戌九月段玉裁書札、如左

「恭甫大兄先生執事、伏維侍奉萬安、興居多吉、今歲三奉手札、見賜五經異義疏證、尙書儀禮諸經說、一一盥手雒誦、既博既精、無語不確、如執事者、弟當鑄金事之、以近日言學者、淺嘗勦說、務鶩獵名而已、不求自得於中也、善乎執事之言曰、文藻日興而經術日淺、才華益茂而氣節益衰、固倡率者稀、亦由所處日歷、無以安其身、此人心世道之憂也、愚謂今日大病、在棄洛閩關中之學不講、謂之庸腐、而立身苟簡、氣節敗、政事蕪、天下皆君子而無眞君子、未必非表率之過也、故專言漢學不治宋學乃眞人心世道之憂、而況所謂漢學者、如同畫餅乎、貴鄉如雷翠庭先生、今尙有嗣音否、萬舍人乞爲致候、江子蘭札云、邵武有高澍然亦良、執事主講、宜與諸生講求正學氣節、以培眞才、以翼氣運（禮案、自「善乎」至此、「左海經辨」所附段氏札缺焉、此依左海文集（五）所附段氏札而錄、段氏爲漢學大家、而有此言、可謂異也、然老成人之言、有所見而然歟、）大箸尙當細讀以求請益、弟今年八秩終日飽食而已、記一忘十、甚可笑也、安足以當執事之推許、玉裁再拜」

郝懿行「曬書堂文集」（卷二）丙子年（嘉慶二十一年）「答陳恭甫侍御書」曰「……前二年中、曾惠手問、兼承遠頒異義疏證、展誦之餘、如聆謦欬……」

阮元得「異義疏證」後、回信並詢他箸、故恭甫先生「上儀徵阮夫子書」（文集卷五）曰「……季夏奉手書敬悉、夫子奉命調撫江右……疇曩所區區從事者、五經異義疏證」外、有校定伏生大傳、將付剞劂又有歐陽夏侯經說考、魯齊韓詩說考、禮記鄭讀攷、春秋左氏禮、公羊禮、穀梁禮、頗發諸家所未及、七緯攷正、說文經詁、兩漢拾遺輯別錄・七略・閩詩苑諸種、多未卒業……五經異義下卷、續有更定、謹再呈一帙就正……」

其關係閩省吏治海防最大者、莫如平蔡牽・仲李賡芸寃、抑二事皆無形中隱爲主持、事秘莫得詳、觀浙撫阮元之始終專用閩將、査勘李案之派王引之、略可識矣、嫉而謗之者、至謂丈才負氣、是已凌物、雖家居善持時局、鄉黨設施、不能悉協輿論、自大府以逮庶僚、無不窺敬憚、而退相鄙夷……然不能實指其鄙夷支離者之爲何事也(衍傳)(按蔡牽之平、據鄭祖庚新撰閩縣鄉土志曰、 嘉慶十四年、秋八月、水師提督王得祿・邱良功等惑之(按謂迫蔡牽也)於黑水洋、牽窮投海死、其黨朱渥、率其衆至定海乞降、總督方維甸、遣福州府知府朱桓往受之、於是海寇盡平云)又按、李賡芸案在嘉慶十九二十年間、故余一共繫於是年、而李案事詳下記二文(阮元作「福建布政使良吏李君傳」(揅經室二集)湯金釗作「九峰大大經筵講官工部尙書加二級謚文簡伯申工公墓志銘」(高郵王氏遺書)

(考注) 是年夏味堂詩疑筆記刊成　胡世琦・宙學淇・劉逢祿中進士　周壽昌・徐時棟・龍啓瑞生　程遙田・趙翼卒

嘉慶二十年(乙亥)　恭甫四十五歲　樸園七歲

先是淸源書院、寓往來仕宦如傳舍、先生致書(按、文集卷五「與總督汪稼門尙書書」)督撫示禁幷乞下各郡縣、諭不得夷書院爲路室候館、從之各郡縣書院不爲路室候館、由先生請也(行狀)

按、先生「泉州淸源書院先賢祀位記」自識曰「——嘉慶二十年夏五月余作此記、秋七月復致書於總督、桐城汪稼門尙書、撫部蕭山王南陔侍郎、八月撫部輒偏檄郡縣、令各刊碑書院、永遠禁止宦寓」

(又)以書院專祀與創增拓諸守令、玆郡先賢不之及、朱子栗主、且委於東偏之樓、曰、是非崇敎意也、乃正朱子位於東堂、從以明蔡文莊公、張襄惠公、次崖林氏、紫峯陳氏、紫溪蘇氏、慕蓼王氏、素庵林氏、國朝李文貞公八君子、顏曰先覺祠爲之記

(考注)　左海文集(卷八)「淸源書院祀產記」曰「乙亥之夏余既與泉之鄕人士、祀朱子及諸先儒於淸源書院、顏曰先覺祠……」

孫星衍「尙書今古文注疏」成　段玉裁・洪震煊・錢侗・周春・姚鼐・伊秉綬卒

嘉慶二十一年(丙子)　恭甫四十六歲　樸園八歲

是年得郝懿行來札、並所箸「瑣語」、其妻王圓照「列女傳補注」

按、郝氏「答陳恭甫侍御書」(文集卷二)曰・「前二年中曾惠手問兼承遠頒異義疏證……比緣閒廢、聊桀瑣語小書……今從同年趙穀士編修寄上此書竝拙荊列女傳補注各一分・」

(考注)　是年崔述・莊述祖卒

嘉慶廿二年(丁丑)　恭甫四十七歲　樸園九歲

（考注）　是年龔橙閣敬銘生　李庭芸・陳鱣・嚴元照卒

嘉慶廿三年（戊寅）　恭甫四十八歲　樸園十歲

是年恭甫先生大病、孫爾準寄詩問病、病痊・先生作「荅孫平叔都轉慰疾之作長句二首」（詩集卷五）詩曰

才命風花不可爭　豈堪桂漆斧斤攖　兒童善病李百藥　憂患傷心劉更生
解脫莫令存我相　衰慵何敢占時名　從今齊視彭殤理　豫遺邠卿作墓銘

（考注）　是年張映漢爲陳士珂韓氏外傳疏證序（見文淵樓叢書本同書）　劉毓崧・鍾文蒸生　孫星衍・許宗彥・翁方綱卒

嘉慶廿四年（己卯）　恭甫四十九歲　樸園十一歲

仲春、恭甫先生自序三家詩遺說攷於三山遂初樓、按、是書樸園先生續成之

（考注）　胡培翬、李黻平成進士

嘉慶廿五年（庚辰）　恭甫五十歲　樸園十二歲

（考注）　丁晏鄭氏詩譜攷證自序成　馮登府成進士　謝章鋌生　陳昌齊・焦循卒

是年當路主修建陽考亭朱子祠、及修建陽朱子墓恭甫先生文集中均有代當路作記之文、可徵、

道光元年（辛巳） 恭甫五十一歲 樸園十三歲

是年掌清源書院之十年、先生有「清源雜詩十六首」（詩集卷三）第一首注云、道光建元、蒙恩以加四級、請授奉政大夫

恭甫先生同年吳榮光擢福建按察使、先生有「贈吳荷屋同年都轉四首詩」又有「爲吳都轉題錢叔寶山水卷送孫平叔巡撫之安徽詩」

四月得阮元書、書曰「夏初接到手諭 尊作詩文五帙、恐失其稿、今交閩副將桓格、親爲奉還、其中文體詩格皆沈着結實無一毫浮虛之習、洵爲近今大家、不第閩省所罕也」（見左海文集卷首坿載道光元年「儀徵阮宮保尙書札」）

是秋阮元寄贈仿宋刻十三經注疏一篋、明年恭甫先生作書答之曰 「弟子壽祺謹啓……去夏桓副戎抵閩、齎賜札、及擲還鄙稿五冊、去秋尋復得洪衙官書、寄至所賜仿宋刻十三經注疏一篋敬感敬謝、蒙示論孟論・仁論・明辨以晳・・性命古訓・它日冀更受而讀之：鄙作古文詩辭、率抒胸臆、於古人義法無所解、緣尊命欲取而教之、輒敢寄呈左右、不意過辱獎飾、許爲近今大家、聞之惶駭汗下…… 外有閩中儒林・文苑傳二冊、經辨二冊、當悉繕寫再呈誨定（見左海文集卷五「上宮保尙書儀貞公書」）

（考注） 兪正燮・丁晏中擧人 兪樾・曾釗生 吳鼒・許桂林・何治運卒

道光二年(壬午)　恭甫五十二歲　樸園十四歲

是年母太宜人病、旦夕侍湯藥、不漸離時休　及卒、杖不能成禮(家傳)

(考注)　先生執手慰之(母)、曰自汝歸養、侍左右十三年矣、甘旨之奉、必適吾口、輕煖之御、必稱吾體、吾之所愛、汝不吾棄、吾之所惡、汝不吾拂、吾今耄矣、以天年終、汝其毋悲、先生嗚咽不能言(家傳)

母卒、大臣有以山人密薦於朝者、山人聞之曰吾豈易誓墓之志者哉、卒不出、山人曩有長句云「短髮蕭騷尙未斑、山人何日臥青山、十年更約巖花綠、祗恐青山亦改顏」足以見其志矣(自傳)

今天子(宣宗)嗣政、適先生母郭太宜人以天年終、公卿間有密薦先生於朝者、蒙上溫諭何時還闕、所知以聞、先生感激涕零已慨然曰、負辠棘人、不足辱天子之知、敬謝不敏、卒不出(行狀)

(考注)　左海文集(卷五)「與朱詠齋侍郎書」曰「…昨侍郎造廬、言得輩下書、述聖上垂詢不孝在家何爲、何時還闕、聞之不勝惶汗、不孝林居奉母、倏忽星終、豈意朝廷四聰四目、下逮菰蘆、魚鳥有情、能不懷感、顧不孝位卑名微、雌伏衡門、何由姓名上挂天耳、竊意槐棘間、當有誤爲之先容者、然還念生平何一可以報明廷・答知己、白駒林杜之恩誠非夢寐所到、顧不知不孝之罷駑衰朽、實不足以辱天子之思遲、與公卿之薦揚也、曩者陳情乞養誓墓已堅、未盡烏私、蓼莪都廢、今在衰絰之中、固不忍預聞薦達、它時闋服、敢渝此心、北山之移、豈所忍言、此不孝自審之明、不敢以欺吾君吾友者也、望閣下察之、先慈窀穸已治、明歲承大府邀以主講鼇峯、固辭不獲……」

陳衍儒林傳曰「　壬午秋丁母憂家居、上元葉世倬來撫閩、聘主鼇峰書院講席、壽祺約先察學行後攷文藝（禮按事詳左海文集卷五「與葉健菴巡撫書」及卷十「擬定鼇峯書院事宜」（道光壬午冬十一月））

先是恭甫先生得饒廷襄書、承索觀文稿、故左海文集卷四下有「與饒嘯漁書」言寄雜文二十餘篇及閩中文苑傳一冊與饒、蓋均係稿木　饒氏得書札及文稿郎作答覆、書札埘載左海文集卷首、（饒嘯漁貢士廷襄札道光二年」者是也）書曰

蒙示大集、數日枕葄其間、雖羈旅溷雜、心氣浮囂、不能有所探討、然嵩華之爲高、江海之爲深、不待智者而後曉、竊見揚馬之與鄒枚、文藻殊艶、匡劉之與鄭許、經術異家、囊括衆有合爲一人、於太夫子見之矣（中略）……　欲幷二傳稿手錄以歸、時時展讀、偶有竊尋、亦冀埘姓名集中、故尚欲留案頭、枕中鴻寶、玆行殊復自豪、太夫子其亦許之乎、

小門生廷襄頓首

（嘉慶十九年）方總纂國史館、未脫稿以憂歸因採輯木朝人物行實、爲東越儒林文苑後

傳、補上國史館(行狀)

(考注) 參見嘉慶十九年及道光元年本譜、元年所錄「上宮保尙書儀眞公書」係是年中寄呈者 關於東越儒林文苑後傳之命名、恭甫先生得方彥聞(名履箋)往復商搉、左海文集卷五「與方彥聞書」其一也 是年莊有可卒

道光三年(癸未) 恭甫五十三歲 樸園十五歲

晚、卬居、敎授淸源鼇峯、疲於文字之役、然皇皇然表揚先喆、(參見本譜道光四年)汲引後進、其敎士、以崇廉恥·踐禮法·研經術爲尙、士始畏束縛、漸而安之、其左右函丈及掇巍科登仕版者、久之悅服不能忘、然在官取士、徒以文、猶以稂莠未盡芟爲憾、其戒子弟、諄諄以愼取舍·依忠厚·而文藝其末也(自傳)

道光三年主講鼇峯書院、鼇峯在省城(陳傳)

丁母憂後、終於家居、主鼇峯書院講席者十一年、剏立規約(左海文集卷十載「道光乙酉(五年)春二月作鼇峯崇正講堂規約八則」是也)整肅課程、每月兼課經史文筆、其敎士(參見本年考注)以崇廉恥·踐禮法·研經術爲尙·作義利辨·知恥說·科學論(三篇均見左海文集卷三)以示學者、士始畏其束縛(參見考注)漸安之、久之悅服不能忘(阮傳)

(考注) 左海文集卷三示鼇峯書院諸生曰「… 士學古立身、必先重廉恥而敦禮讓、廉

恥重而後有氣節、禮讓敦而後有法度、文藝科名其末也……」　左海文集卷五「與葉健菴巡撫書」曰「……又聞乾隆中、林青圃通政主敎、學規最嚴、終日鍵閉院門、諸生非至急不得謁假、士畏憚而亦安之……」　守禮按、恭甫先生之所取法如是、讀此則先生束縛嚴峻可窺矣

一時承學之士、經指授者、若仙遊王捷南之詩禮春秋諸史輿地、晉江杜彥士之小學、惠安陳金城之漢易將樂梁文之性理、建安丁汝恭・德化賴其瑛・建寧張際亮之詩古文辭、皆足名家」(衍傳)

是年孫經世來見恭甫先生

(考注)　陳衍爲孫經世傳」曰「陳侍御壽祺、主閩中鼇峯書院講席、經世(字惕齋)以巡撫葉世倬檄來、爲上舍生、以釋詞(按謂王引之原著「經傳釋詞」也)坿錄見、侍郎大奇之曰、此學識當與江・戴・段諸人伯仲矣、遂以其書示引之、引之手跋之」

是年仲秋錄所著「左海經辨」、九年阮元收錄於學海堂經解

(考注)　程以恬「毛詩音韻攷」「略言」刊成　李鴻章生　汪龍卒

道光四年(甲申)　恭甫五十四歲　樸園十六歲

是年恭甫先生表揚其鄉先喆黃道周事蹟、事詳左海文集卷一「請以明儒黃石齋先生

從祀孔廟狀（坿代擬疏稿）」茲錄樸園先生所述行實中語於下（道光四年歲甲申、遂聯紳士具呈於兩府曰「明儒漳浦黃公道周、行完忠孝、學貫人人、著術本乎六經、節義興乎百世、建言直諫、斥佞之鬭邪、蒙難捐軀、詠歌勿輟、浩氣足以塞天地、正性足以扶綱常、其德業在求溪考亭之間、其志節在文山青陽之列、其發明聖學、衞道宗經、大旨與劉公宗周相近、是以格壇蕺山並峙宇內、非獨出處節概兩相頡頏、今劉公既崇祀西廡、請並從祀以彰名臣之軌範、樹儒宗之圭臬、正人心而維世教、翼聖道而勵貞修、實有功於國家、庠序馨香詩書俎豆之典、時制軍逌文格公（愼畛字笛樓）撫軍孫文靖公（爾準字平叔）題之、並屬先考代擬疏稿、（左海文集卷一坿）先考謂、明史黃道周傳贊稱其所陳深中時弊、足爲萬世龜鑑、御批通鑑紀其學行、推重於天下、乾隆四十一年、特賜專謚忠端、其生平著述宏富、四庫採錄其書多至十種、皆闡明經旨、推究治道、而尤湛深於易經孝經、其講學浙閩、發端以格物致知、物格知致爲第一要義、爲蕺山以誠意爲主、而歸功於愼獨、能闡王文成之緒言、而救其流弊、樹楷以致知爲宗、而止宿於至善、確守朱子之道脈、而獨遡宗傳、遂本此意擬成疏稿、兩府會疏奏請、從祀東廡、明年（道光五年）春禮部議覆如所請、其年秋八月朔日兩府率文武吏奉主、入祀孔子廟東廡、位明羅欽順之次如議、備牲醪鼓吹如令典、時方舉鄉試、諸生雲集、鄉士大夫及靑衿千餘人、相從行禮、其扶翼名教如此、

（補注）行實曰、嘗倡學鄉先生藍鹿洲、陳修堂、陳補堂、張惕菴、孟瓶菴、莊復齋、李古山、謝退谷、鄭六亭、陳惕園十人從祀鄉賢、其表彰前哲之勤多此類也」 禮按左海文集卷十載

一、爲故順天府丞南安陳修堂請祀鄉賢呈詞

一、代德化紳士請以鄭孜諭崇祀鄉賢呈詞

二文皆先生倡事之文徵也、參見道光十四年本譜所引先生自傳

道光五年（乙酉） 恭甫五十五歲 樸園十七歲

是年樸園先生舉於鄉（後七上春闈）

恭甫先生得寶應朱士彥（詠齋）侍郎及光澤高澍然（雨農）舍人札、均坿載左海文集卷首

朱氏札曰「……大箸說經者詳贍精卓、虎觀石渠之議、敍事謹嚴、所采擷止於范陳、不闌入晉書以下語、論時事皆洞中竅曲、賅貫原委、其他作綺麗醇厚、東京之遺也、盥誦再四、敬服敬服、不揣固陋、擇其尤愜於心者、妄以賤字鈐識並錄存其目、有一二獻疑者、亦簽述鄙意……」

高氏札曰「……尊箸循環諷誦、歎其浩如淵海、純如金玉、精實如布帛菽粟、蓋合德與功見於立言者也、豈末學所能測識哉、雖然澍然治古文有年、頗能言其升降利病、竊以爲國朝諸公如……今尊箸淪浹經術、而於人心世道、若機於中而不能自已、足以補梅崖所未備、澍然以爲合德與功見於立言者非過也……　尊箸三十篇、已臻大醇、中有未安處、苟知愛之厚、不避僭妄、加注於傍、死辠死辠、外拙撰論語私記呈正……」

（考注）　郝懿行・黃丕烈・徐養原・夏味堂卒

道光六年（丙戌）　恭甫五十六歲　樸園十八歲

（樸園先上春闈？）

（考注）　是年方東樹「漢學商兌序」　成迮鶴壽成進士　包世榮卒

道光七年（丁亥）　恭甫五十七歲　樸園十九歲

里黨義學多爲之領袖、文昌之祠、火神之廟、大成殿兩廡之築重垣、明倫堂右之闢通衢、敬節堂之恤嫠、米廠之施賑、莫不偕同志首唱其議、貢士校士之場、西湖東湖木蘭坡之水利、則當軸時與咨訪上下、言論力贊其成（自傳）

按、詳細均見先生詩文集中、今摘錄先生寄與梁章鉅札及行實所言如左

左海文集卷五「與梁茝林藩伯書」曰

「葉上舍歸、奉答示、寄賜詩集、及滄浪亭題詠數種　　復蒙惠貺多金、助鋟郘草、感荷感荷　　壽祺比年採輯石齋黃先生文集、自康熙間鄭虛舟刻本外、得見鄭白麓編次本、洪石秋元編本、並借錄副墨、益以逸文逸詩、凡數十冊　……陸萊臧縣尹、勸鳩貲付鋟、壽祺嘗言之孫宮保、忻然許諾、今擬求同志集數百金、明春開雕　　吾鄉重建貢院、與恤嫠二事、蓋千載盛事、壽祺皆幸得從事其間、貢院物材充實罕有漏巵、恤嫠則報明人戶、詳悉察訪……今夏閏月（按道光七年閏五月）乃克舉行……貢院、合諸郡縣勸捐、得洋錢十餘萬計、工費亦略相抵、惟恤嫠經費猶未充裕……」

行實曰、先考又以黃忠端公所箸經解九種、及「榕壇問業」、咸已箸錄四庫、經解雖久經刊行、其餘公遺書文集、散見未及進者尚多、於是積十餘年之力、悉心蒐訪、乃購得「易本象」、「鄴山講義」、「駢枝別集」、「大滌函書」諸種、及公門人石秋子洪思與莊起儔所撰

「黃子年譜」、又得漳洲士人藏本、海澄鄭白麓中書所編、公文集三十六卷、詩十四卷、又假得石秋與公季子子平所編公全集原本、校對補遺數十篇、彙成全集、重定目錄、輯爲五十六卷、訂以年譜、至是始竣……

（考注）　是年李黻平「毛詩紬義」包世榮「毛詩禮徵」刊成　姚文田、汪廷珍、鈕樹玉卒

道光八年（戊子）　恭甫五十八歲　樸園二十歲

詩集卷五「和張詩舲戶部使閩紀遇抒懷元均二首」之註曰「……去夏閩中改造貢院今秋七月竣工（按行實曰「閩省貢院自乾隆初年、前撫軍陳文恭公修葺之後、幾及百年、號舍舊有八千三百餘間、湫檐庳隘、潦濕熏蒸、士子咸以爲苦、先考言於制軍孫文靖公、撫軍韓公芸舫、捐廉倡始、各屬士民、聞風踴躍、至是購買民房、展拓地址、集匠興工、全行拆造、號舍則改五爲四、巷道則並三爲兩、增高圍墻、夾墻巷內外、地皆砌以石、增建號舍一千餘間、其衡鑒堂、並官司辦公之所、悉改爲嚴密爽塏、土石、瓴甓之屬、雖省緡錢一千萬貫有奇、夫匠數百人、立章條、嚴程限、纖悉不遺、謂人曰此所謂陰以兵法部勒者也（按此句見自傳）六閱月而號舍成十之八……）

（考注）　是年劉文淇等協議各成十三經一疏　黃以周生　錢林・莊綬甲卒

道光九年（己丑）　恭甫五十九歲　樸園二十一歲

適閩中重纂通志・當軸（孫爾準）延山人總其事（自傳）

按、林鴻年同治十年（辛未）重纂福建通志序曰「道光八年戊子、貢院工成、九年以餘貲開志局、其陳恭甫師主講鼇峯、兼志局總纂、師固海內經師、同局一時才雋若使、老手章成、如阮文達師之定廣東通志、夫豈淺聞小吏所能及哉、無何費絀局停、哲人旋

萎、乃有異己者紛紜聚訟、且分攘稿本去、而四百卷遂殘缺矣……」

按、詳見本譜箸述攷略

是年樸園先生自序「毛詩鄭箋改字說」、年甫二十一、經義鑿々、恭甫先生甚喜、與友人書札中且言及矣、(上春閣?)

(考注) 阮元刊「學海堂經解」成、 龔自珍中進士 李慈銘生 胡世琦・劉逢祿・淩曙・薛傳均卒

道光十年(庚寅) 恭甫六十歲 樸園二十二歲

是年恭甫先生六秩作、壽・詩集卷五有詩題曰「庚寅二月六十初度、先期適湯敦甫尚書、鍾仰山侍郎、按閩竣事還闕、惠詩爲壽、謹次元韻志謝兼以錄別」者是也、

恭甫先生門人刊先生所箸「尙書大傳定本」於廣州、 詳參看本譜坿錄恭甫先生箸述內

(考注) 徐璈「詩經廣詁」自序成、是書爲「三家詩遺說考」藍本、詳本譜箸述攷略 馮登府「三家詩異文疏證」刊成

道光十一年(辛卯) 恭甫六十一歲 樸園廿三歲

(考注) 江藩・方履錢卒

道光十二年(壬辰) 恭甫六十二歲 樸園廿四歲

孟夏、樸園先生爲恭甫先生「禮記鄭讀攷」後序 (樸園先生上春闈?不第)

先是、梁章鉅自道光八年宦遊四方、至是夏因病陳請開缺還里、遂因「黃樓・通志之事與恭甫先生生隙、後二年恭甫先生卒、其明年章鉅又獲官出仕矣、(參看本譜末「著述攷略」)

按 詩集卷五有「芷林藩伯乞退還里承示吳中留別同人長句四首次韻」等詩列在道光庚寅(十年)詩後、不標干支、然梁氏之開缺既明知在十二年六月之後、則此詩及

一、前詩意有未盡、再叠元韻呈芷林藩伯

一、題芷林藩伯燈窗梧竹圖

一、閏重陽日芷隣藩伯招同人集烏石山文昌祠、有詩用韻和呈

諸詩、以道光十二年係閏九月、明知亦是年之詩、餘參照本譜著述攷略、福建通志條

(考注) 徐華嶽「詩故攷異」其子寶琳刊成 王闓運・譚獻生 王念孫・胡承珙・李貽德・丁履恆・李黼平卒

道光十三年(癸巳) 恭甫六十三歲 樸園廿五歲

先生卒前一年累辭次年講席(行狀)

去冬(謂十三年冬)因病屢辭講席、大府挽留至於七八、先考難於重違其意、爲之漸留關聘…

…初諸生聞先考之辭講席也、如失所倚、乃於課日具衣冠者二三百人、齊集鼇峯鑑亭、僉請於先考、願爲諸弟子再留講席一年、先考慰之曰「吾尙當自審病勢如何耳」(先是)季弟履常前沒、叔弟壽愷病瘵尋沒、叔弟遺四男一女、俱在襁褓、撫之成立、妹氏林、早寡而貧、有二甥一女、割宅居之、並勗之學、先生念曾祖以下從祖多中絕、歲時親祭墓次、掌教淸源書院時、蘆族人墓地之侵削者、爲勒石焉、高祖自晉江遷福州、里有同姓者與之偕、其後寖衰、遺兄弟二人、貧不能娶、年俱四十餘、助其弟娶婦、簋其兄終身、蒙師魏瑛、老友陳登龍、沒皆無子、爲之立嗣、幷恤其後人、家有餘積、悉以周親故、待擧火者恆數十家、人有骨肉相鬩者、必擧先生以爲言、或訴於先生、亦必正言譬解之(家傳)

(考注) 張亨甫(名際亮)集「乙未初五日謁恭甫師墓慨然有作」(卷十二十一)注云「師精于星命家言、嘗爲余推、幷自推測者以告余、多不爽」 趙紹祖卒

道光十四年(甲午) 恭甫六十四歲卒 樸園廿六歲

是年二月二十日恭甫先生卒

其於桑梓利弊、蒿目痗心、往往直陳於大吏、冀獲挽救、雖間攖逆耳之怒、弗恤也、以爲固身晦而道少伸、亦急病攘夷之義也、然亦以是積憂恚、生病胎矣(自傳)

禮按 文集中與某々官吏之書多此種之文

著書數種、自謂非其至也、性直而介嫉惡嚴、與時寡合、有所不可、雖朋舊權貴、必力爭之、不飲不奕、不樗蒲、唯篤嗜經籍、生平所聚、幾八萬卷、舉唐杜暹鬻及借人爲不孝之語、示後人毋失（自傳）

臨終之前期二日卽命繳還關聘、與大府訣……臨終辟除穀食者一月、屏却醫藥、惟日啜武夷巖茗、啖柑柚少許、自作隱屏山人傳（入左海文集卷九）處分後事、神識不亂、未易簀前數夕、枕上口占三絕云

夢想仙巒二隱屏　問天應著少微星

人間無事溪山好　便欲乘雲上幔亭

雨前把玩幾旗新　奇樹幽香每結鄰

自笑平生疎茗飲　竭來誰判配茶神

無數林巒秖眼中　空巖煙雨忽迷濛

水流花落無人問　付與青山一短筇

詞意惝怳若有所見（行實）

先生終身所歷官階具詳行實、曰「先考成嘉慶己未科進士、誥授奉政大夫、翰林院編修、充文淵閣挍理、國史館總纂、文穎館纂修、敎習庶吉士、京察一等、記名御史、加六級、記錄

七次」
先考撰
　五經異義疏證　三卷
　尚書大傳定本洪範五行傳輯本　六卷
　歐陽夏侯經說考　一卷
　魯齊韓詩說考　三卷
　禮記鄭讀攷　四卷
　左海經辨　四卷
　說文經詁　二卷
　兩漢拾遺　二卷
　遂初樓雜錄　二卷
　左海文集　十卷
又蒐採國朝閩中人物行實補上史館爲
　東越儒林文苑後傳　二卷
外又有

左海駢體文　二卷

絳跗草堂詩集　六卷

（行實）

按、右書目中、有樸園先生至後而續成者、有似不傳者、余已就睹聞所及者別成箸述攷略坿於本譜之後

壽祺解經得兩漢大義、每擧一義輒有折衷、上泝伏生、下至許鄭、靡不通徹……元選其五經異義疏證・左海經辨及文集中之說經者、入皇清經解（阮傳）

按、　阮元所作恭甫先生傳（是年六月）論先生之爲人曰

山人以强仕之年、告歸養親、可謂孝矣、親終不復仕、非如羲之誓墓有所激也、恬而已矣、立身於道義之中、而經學博通兩漢、文章雅似齊梁、其學行卓然傳矣、以千秋自命不爭名一時、秋坪之言諒哉（阮傳）

先是康熙間、太原閻若璩倡爲考訂之學、其源出於漢劉氏向・歆父子、劉氏挍讐之業、將以辨章學術、考鏡源流、非屑屑於字句之異同訛舛也、然承古學式微之後、而以舊本之殊異、正古經之舛誤、由漢鄭氏許氏、以上通雅故、於經訓未嘗無補焉、元和惠棟、餘姚盧文弨、休寧戴震、曲阜孔廣森、嘉定錢大昕、金壇段若膺、復繼起焉、至大興朱珪、儀徵阮元、

大暢其說、一時閩風興起、江左尤盛、閩中自李光地、王士讓、官獻瑤爲宋儒之學、兼崇漢儒、壽祺初受業於孟史部超然、爲宋儒之學、及後出朱珪之門、旣得所師承、又結交一時知名士、因是博聞強識、專爲許鄭之學、以疏證經傳、於閩中實開其端(陳傳)

博雅宏通之彥、余六十年來僅見三人、一閩縣陳恭甫太史壽祺、於書無所不覽、著作等身、余在福建時尚幼、僅一拜見、不能有所叩發、第聞金匱孫文靖公、侯官林文忠公欽佩之不已、二公則余知其學問淵懿也、一金谿戴簡恪公敦元……一爲會稽屠彼園先生湘之。(見海昌陳其元(字子莊)庸閒齋筆記卷二)

按　右略舉四節、著前人所論定先生生涯、至於身後事則有樸園先生所述行實、詳焉、玆不及也

(考註)　吳式芬・陳立成進士　王引之卒

道光十五年(乙未)　樸園二十七歲

是年樸園先生主講廈門紫陽書院

(考註)　「……明年春(卽道光十五年)其(恭甫)子喬樅、來廈門主講紫陽書院、述先生遺事、請於富陽周凱、曰、先君子志在傳經、其大者儀徵相國阮公爲傳、光澤高雨農舍人爲行狀、墓志事涉瑣屑、有關內行、可以垂訓子孫者、請更爲家傳、載諸譜乘(家傳)

（是年樸園先生上春闈？不第）

（考註）是年吳士模「詩經申義」刊成　馬瑞辰「毛詩傳箋通釋」刊成　胡秉虔・許瀚成進士

道光十六年（丙申）　樸園二十八歲

（考註）汪遠孫・陸耀遹卒

道光十七年（丁酉）　樸園二十九歲

（考註）胡承珙「毛詩後箋」刊成　王篤始刊姚際恆「詩經通論」　鄭珍中擧人　戴望生　侯康卒

道光十八年（戊戌）　樸園三十歲

（樸園先生上春闈？不第）

是秋九月樸園先生「魯詩遺說攷」自序成

按、魯詩遺說考序有曰「……　喬樅敬承先志、次第補葺、成魯詩遺說攷六卷、其齊韓二家采綴粗就、尙當細加稽覈、別爲篇帙、然距先大夫棄養之日、於今五年、每撫昔時所授遺編、手澤猶存、音容已邈……」

（考注）朱右曾成進士

道光十九年(己亥)　樸園三十一歲

(考注)　朱濂「毛詩補禮」刊成　林昌彝・洪齮孫中舉人

道光二十年(庚子)　樸園三十二歲

樸園先生自敍「韓詩遺說攷」于京都

按、韓詩遺說攷自序有曰「……　先大夫曩撰三家詩遺說、未卒其業、喬樅敬承先志、於韓詩詁訓、凡羣籍徵引者、旁搜博採、薈萃成帙、釐爲五卷、細加考證、其各家所述韓詩佚詩、有與毛氏文異、而義仍同、及文同而義或異、與夫文義並同者、咸備采之、以資參考、至外傳中引詩者、皆散附各篇、其於詩文無所坿者、別爲一卷、著錄於末、凡以存韓氏專家之學……」

道光二十一年(辛丑)　樸園三十三歲

(考注)　陳奐「詩毛氏傳疏」成　劉寶楠成進士　陳康祺生　兪正燮・朱爲弼卒

是年樸園先生上春闈?

(考注)　阮元「詩書古訓」刊成　何若瑤成進士　李兆洛・龔自珍・徐璈卒

道光二十二年(壬寅)　樸園三十四歲

孟夏樸園先生自序「齊詩遺說攷」於仙谿金石書院　序曰「……　喬樅敬承先訓、成齊詩遺說攷四卷、爰識大略、以就正博聞君子、惟匡其不逮焉……」

(考注)　趙以祖「毛詩辨韻」刊成　王先謙生

道光二十三年(癸夘)　樸園三十五歲

先生(樸園)獨居深念、撫其先世遺箸、輒慨然曰「昔先大夫病革、有言曰「吾四十歸田、生平無他嗜、惟以書爲性命、疲於文字之役、纂述匆匆未盡就、爾好漢學、治經知師法、他日能成吾志、九原無憾矣」小子雖無狀、敢不勉諸」乃於簿書之隙、紬繹舊聞、次第勒爲定本、於時政和民宜、而素業亦告成焉(墓志銘)

是年畢陬之月(卽三月)樸園先生自序「齊詩翼氏學疏證」於三山之小琅嬛館　序曰

「我朝經術特隆、治漢儒專家之言益衆、其所著述、要以尋墜緒・抉微學爲功、高郵宋綿初「韓氏內傳徵」、實著韓氏之學、而魯齊二家、尙闕焉未見、先大夫曩嘗鉤討魯齊韓佚義、與毛氏異同者、爲參互攷證、輯而未就、命喬樅卒爲之、成「魯詩遺說攷」六卷「齊詩遺說攷」四卷「韓詩遺說攷」五卷、尙欲細加疏釋、未敢卽以問世、竊惟三家齊詩先亡、最爲寡證、顧齊氏之學、宗旨有三、曰四始、曰五際、曰六情、皆以明天地陰陽終始之理、攷人事盛衰得失之原、言王道治亂安危之故、其間微言有淺未絕、獨賴漢書翼奉傳一篇、存什一於千百而已、先大夫嘗言、漢儒治經、如易有孟京卦氣之候、春秋有公羊災異之條、尙書有夏侯、劉氏・許商・李尋洪範五行之論、莫不明於象數、善推禍福、著天人之應、翼氏之治詩、精通乎律歷陰陽、以窮極性命、吿往知來、夫非聖門言詩之微旨與、喬樅不推固陋爲疏通而證明之、其佚見於他說者、併爲采錄、俾齊詩翼氏之學略存梗概……」按、三家詩遺說攷諸書至是時尙未及梓行可據以知、又樸園先生似未見迮鶴壽所箸「齊詩翼氏學」 參見著述攷略

孟夏四月樸園先生自敍「詩經四家異文攷」曰

「喬樅敬承先大夫遺訓、述魯齊韓詩遺說、與毛詩同異者、撰次成帙、逐加攷證、成魯詩遺說攷六卷、齊詩遺說攷四卷、韓詩遺說攷五卷因增輯毛魯齊韓四家詩異文彙爲此編、釐爲五卷、凡近儒所討論、有資挍勘者、靡不參互稽覈、坿案於後、亦以尋遺經之墜緒、廣古學之異聞云爾 ……」

（考注） 秦恩復、李富孫、嚴可均嚴杰・吳榮光卒

道光二十四年（甲辰） 樸園三十六歲

五月陳慶鏞序樸園先生著「齊詩翼氏學疏證」

夏枚園先生大挑知縣、分發江西

（考注）「禮堂遺集」坿詩自注曰「是年籤發到江、冬杪分宜篆」

（考注） 是年繆荃孫生

道光二十五年（乙巳） 樸園三十七歲

道光二十六年（丙午） 樸園三十八歲

陬月樸園先生自序「詩緯集證」於鈐陽官署、序曰

「……夫順陰陽以承天道、原性情以正人倫、經明其義、緯陳其數、經窮其理、緯陳其象、緯之於經相得益彰、謂非詩學之輨轄、而學者之所宜鉤攷歟、明孫穀蒐輯逸緯、爲「古微書」謂推度災諸編皆讖類、而不知隋志所錄又有詩雜讖、固區別而爲二也、近世陸明睿增訂、殷元正集緯於三篇外、列含文候之目、而復不知路史注所引、卽爲含神霧之譌也、余同年生趙子在翰、重纂七緯、仍隋志箸錄之舊、而詩緯佚文仍多遺漏、且以孔氏詩正義語、羼入汜歷樞中、亦失之踈、喬樅不揆檮昧、網羅散佚、視各家輯本增十之三、揭所據依、加以考訂、成詩緯集證三卷、其舊書所引未詳篇目者、別成一卷、都爲四卷、坿於齊詩……」

（考注） 是年朱一新生

道光二十七年 樸園三十九歲

仲春樸園先生在鈐陽、由許廣文得畢亨（九水）著尙書中「說迪」一篇、先生素聞畢氏學名、及得是篇又知鋟板無存、恐易於湮沒、遂重爲鐫之、以廣其傳(見禮堂遺集卷四「畢九水先生說廸跋」)

(考注) 汪喜孫·張澍卒

道光二十八年(戊申) 樸園四十歲

是年樸園先生補弋陽縣、

禮堂遺集坿詩曰

鳴琴無復事煩苛　花語頌庭暇日多

詩禮傳家遺訓在　武城比戶盡絃歌

按、原注曰「…戊申補弋陽縣缺、政刑尙簡、因得從事丹鉛、梓三家詩等集」

是年樸園先生以魯齊韓詩遺說考諸書、付諸丹鉛、又重修弋陽縣志(禮堂遺集卷二重修弋陽縣志序)

(考注) 孫詒讓·王頌蔚生　徐松卒

道光二十九年(己酉) 樸園四十一歲

是年二月樸園先生重編宋謝文節公(枋得)集、並爲之序、(禮堂遺集卷二)序曰

「道光廿八年歲戊申、余捧檄莅弋陽、以祀事拜宋故疊山先生謝文節公祠、訪公後裔得家藏遺集五卷、爲萬曆甲辰刊本、字漫漶不可讀、時方議修邑志、徵文攷獻、搜羅散佚又得嘉慶辛酉謝源重刻本八卷、以舊本校之、詩文所增無幾、其採輯元明以來題

詠碑記、別爲外集、則舊刻所未詳也　…(略)…公經解文集雜著六十四卷、屢經兵燹、久已無傳、余不敏、何能蒐討補綴、以成完帙、謹次公列傳行實、及墓銘弁於卷首、凡詩文若干編爲正集、以同時倡和之作坿焉、其續修者別爲外集、及坿存各一卷、他如後人題詠、祠宇碑記諸作、又別爲坿錄二卷、其詩傳注疏、及文章軌範諸書、今海內尚有傳本、俟同志者續行付梓、俾成鉅觀　…道光二十九年二月既望敕授文林郎知廣信府弋陽縣事俟官後學陳喬樅序」

(考注)　皮錫瑞生　阮元、胡培翬、梁章鉅卒

道光三十年(庚戌)　樸園四十二歲

是時故恭甫先生師友頗以小學名於京都(見曾國藩作苗夔墓志銘)

(考注)　俞樾成進士　錢儀吉卒

咸豐元年(辛亥)　樸園四十三歲

是年樸園先生調任德化縣、(禮堂遺集詩注)

(考注)　方東樹卒

咸豐二年(壬子)

是年樸園先生調南城縣、(禮堂遺集詩注)

（考注）　李祖望爲「小學類篇」序（參見次年本譜）　廖平・江瀚生　姚瑩卒

咸豐三年（癸丑）　樸園四十五歲

是春三月、李祖望將恭甫先生「說文經字攷」收入「小學類編」、小學類編所收書目、計有惠棟「惠氏說文記」、姚文田・嚴可均同譔「說文校議」、錢大昕「說文答問」、陳壽祺「說文經字攷」、段玉裁「說文訂」、江聲「六書說」、江沅「說文釋例」及任大椿「小學鉤沈」、「字林考逸」、畢沅「說文舊音」、十種、是編之刻、其旨據李氏自識可以窺見云

「……段氏著說文注、精深博辯、聲義並明、第卷帙繁富、幾於家有其書、何庸贅及、惟此數編或引申以見義、或攷訂以正譌、皆說文津筏也、昉於惠氏者以箸有成書、專門所始、若嚴氏・錢氏・江氏諸家非聞夙資於私淑、卽緒得衍於師承、貫通融會、異派同源、書雖雕自手民、世每艱於目誦、類刻所由來也……」

按、恭甫先生「說文經字攷」爲經辨之一編、而其於說文之學、可與惠・江・錢比肩、則先生之小學亦復卓然成家矣。

咸豐四年（甲寅）　樸園四十六歲

是時樸園先生以治魯齊韓詩成一名家、按謝章鋌「課餘續錄」卷五曰「……咸豐四年晋江陳慶鏞序陳昫（惺齋）雜文節錄」（一卷）曰「……余京寓與諸子講經、其專門名家者、若葉潤

臣名澧之治周易、邵位西懿辰之治尚書、王芝原佩蘭之治毛詩、陳樹滋喬樅之治魯齊韓詩、陳卓人立之治公羊春秋、柳賓叔興宗之治穀梁春秋、咸極茶尊臻奧窔……」

（考注）　王劼「毛詩讀」序成　劉文淇・王筠・徐同柏・曾釗卒

咸豐五年（乙卯）　樸園四十七歲

是年樸園先生在任丁內艱旋籍（見禮堂遺集詩注）　茲摘錄是時先生所作之詩兩首於左

半生諳抱杞人憂　倦羽雖還豈是休
風景家山仍似昔　故園松菊尚存不」
兒輩何無紙筆耽　書中眞味是誰諳
縹緗萬卷嫏嬛館　也恐他年飽蠹蟫」

（禮堂遺集圻錄）

（考注）　包世臣・劉寶楠・陳逢衡・趙紹祖卒

咸豐六年（丙辰）　樸園四十八歲

（考注）　陳衍生　魏源・吳式芬卒

咸豐七年（丁巳）　樸園四十九歲

是年樸園先生尚在鄉　九月爲「上閩中大府變通錢法以平物價議並擬作條例五則」

以陳錢法利弊及變通之法　當路得議猶遲疑不決、乃更爲「變通錢法續議並條例三則」(禮堂遺集卷一)

(考注)　苗夔、馬國翰卒

咸豐八年(戊午)　樸園五十歲

(考注)　朱駿聲・龍啓瑞卒

咸豐九年(己未)　樸園五十一歲

是冬樸園先生任袁州府(見本譜次年)

(考注)　葉名澧・洪齮孫卒

咸豐十年(庚申)　樸園五十二歲

樸園先生主編袁州府縣志纂要、並爲之序、冀有來者重修詳志、序曰

「……咸豐九年冬喬樅奉憲檄權篆茲郡、下車之始、循故事索取郡志、板燬於寇、不可復得、繼徵諸邑志、皆以被寇之後、板籍已失、深用衋然於心、數月以來於接見郡人士、每從搜訪遺編、遂展轉覓得府縣各舊志、公餘之暇、手披目覽、思與郡人謀、重加採摭、增修新志、祗以屬多事、困敝之日、力固未之逮也……(略)……喬樅爰取諸志、撮其沿革、疆域、都里、城池山川、水利、關隘、形勢、田賦、戶口、學校、公署、兵衞、武事、津梁、驛遞諸切治

要者、先付剞劂、按之舊本、以爲傳信之徵、俟諸將來以爲續修之地……」

（考注）　宋翔鳳・蔣光煦卒

咸豐十一年（辛酉）　樸園五十三歲

二月樸園先生引明呂坤所著「鄉兵救命書」及明金聲著「友助事宜」爲「勸辦袁州府鄉團練勇諭」一文、用勸結練鄉兵以禦盜賊土匪（礎堂遺集卷一）

（考注）　邵懿辰・林春溥卒　尹繼美「詩管見」序成、

同治元年（壬戌）　樸園五十四歲

是冬樸園先生自序「今文尚書經說攷」於江右僑寓、　序有曰

「・喬樅敬承庭訓、識之勿忘、曩搜討群書稽求佚義、綴緝頗具、梗概麤陳、顧以宦海浮沈、日月逾邁、恆以不克繼志爲懼、今春免官、遂杜門下帷、迺錄舊稿、重復研尋、成「歐陽夏侯經說」一卷「今文尚書序錄」一卷「今文尚書經說考」三十三卷、凡所採摭經史傳注、及諸子百家之說、實事以求是、必遡師承、沿流以討源、務隨家法而參詳考校、則或有取於馬鄭傳注爲之旁證而引伸之、前後屢更寒暑而後卒業焉、庶求無負昔日趨庭之訓焉爾、是爲序　」

按、據序文知先生是春一罷官歸鄉。　先生子、紹釗中舉人（衍傳）

（考注） 何秋濤、黃以周卒

同治二年（癸亥） 樸園五十五歲

（考注） 陳奐・錢泰吉・徐時棟・魯一同卒

同治三年（甲子） 樸園五十六歲

是時故恭甫先生自傳所謂「…篤嗜經籍、生平所聚幾八萬卷…」者散佚將盡、余按之復堂日記有左列兩則、 一爲同治三年日記、曰

「臥雲來、言陳恭甫編修家藏書策金石、散失已盡、憶前年與徐壽蘅學使消夏借觀時、尙整齊、轉眴化爲煙埃可嘆」（復堂日記卷一）

一爲前年同治二年（癸亥）日記曰

「陳氏（恭甫先生後人）藏書有漢學商兌桐城方東樹撰、與漢學諸君子相難、若東原・茂堂・淵如鄭堂誠末足以厭衆志、予閱是書益以歎古學之難復、而君子立言亦無與來者以口實也」（復堂日記卷一）

（考注） 尹繼美「詩地理攷略」刊成 王劼「毛詩序傳定本音注」刊成 吳樹聲「詩小學」刊成

（又）鄭珍・吳嘉賓卒

同治四年（乙丑）　樸園五十七歲

樸園先生受賞加道銜（參見同治八年本譜）

同治五年（丙寅）　樸園五十八歲

（考注）　林昌彝「硯桂緒錄」刊成　羅振玉生

同治六年（丁卯）　樸園五十九歲

（考注）　劉毓崧卒

同治七年（戊辰）　樸園六十歲

曾國藩讀樸園先生「今文尙書經說考」（參見本譜箸述攷略）

是年樸園先生在江西有「請將江西釐金盈餘欵項籌辦善後事宜」茲錄其有關學術者、曰

「…一、江西通志、自乾隆修志以後、已近百年、未經續修、而各府州縣、被寇亂以來、志書板片、又半多燬失、舊存者寥寥、卑府奉訓搜訪、各郡縣志、計陸續購得十分之九、所缺者僅八九縣而已、若以貳萬金作爲續修通志之費、網羅載籍、稽考故事、補成缺典、庶文獻不至無徵」（參見禮堂遺集卷一）

八月樸園先生任臨江府、　有「重建臨江府學大成殿碑記」之作

是年樸園先生爲「古照堂痊本六壬占式」(或名「六十甲子兵占」不分卷)序、(見禮堂遺集卷二)、書仿聚珍版式、只印二十部、 按、是書之出甚奇、具詳樸園先生之序、余於臺北帝國大學所藏福州烏石山房文庫內檢得一函六十冊、題六十甲子兵占」字有硃墨兩色、龔綸補編「烏石山房簡明書目」箸錄曰「同治戊辰年、陳喬樅松石山房排字本」

(考注) 陳僅卒

同治八年(己巳) 樸園六十一歲卒

是春樸園先生轉任撫州郡、承葺重建撫郡署、閱三月孟夏事竣、乃爲之作「重建撫州郡署記」(見禮堂遺集卷三)

先生遂以是年卒於撫州官舍、 同鄉謝章鋌爲作「左海後人樸園陳先生墓志銘」(賭棋山莊文集卷七) 墓志銘有曰

國家經學昌明、碩儒輩出、閩人則謹守五子淵源、風氣不變、及左海陳恭甫編修、以沈博絕麗之才、修精深醇懿之業、其所箸經辨諸書、遠與兩漢大師相羽翼、又以古義作庭誥、五經紛綸、宏啓其堂、構論者謂自元和惠氏三世傳易、高郵王氏父子明小學之外、蓋莫與抗手焉、嗟呼若樸園先生者可謂難矣」 又曰「……箸有

禮堂經說 二卷

毛詩鄭箋改字說　四卷
禮記鄭讀攷　六卷
魯詩遺說攷　六卷
齊詩遺說攷　四卷
韓詩遺說攷　五卷
齊詩翼氏學疏證　二卷
詩緯集證　四卷
魯齊韓毛四家詩異文攷　五卷
今文尙書經說攷　三十四卷
歐陽夏侯經說攷　一卷」

又曰「卒於撫州官舍、身後蕭然、惟書籍刻板、百有餘篋而已、其明年歸葬於福州之大夫嶺、子紹釗、嗟呼章鋌於編修恨不及其門、又無緣得見先生一質其所學、適其從子元禧請爲誌、乃揭編修之學派與先生之所以修世業、而張大其家法者、以興志古之士、而繫之銘曰、

聚訟湯武馬肝毒　怒詈驪駒何狗曲

蘭臺行路淶書辱　鄉壁臆造鬼瘉哭
禕而陳君巨儒族　良冶良弓君子穀
譚譚者心便便腹　金絲有聲出墻屋
箴膏發墨媚我獨　紉蘭無人香滿谷
許鄭既精程朱足　漢宋二學貫一轂
墓門之光九幽燭。

綜計喬樅生平、爲貧而仕、浮沈宦海二十餘年値粤匪之亂、徧地寇盜、用迭次捐欵辦防、挪借虧空屢經參撤、一參於袁州任上、再撤於江督曾國藩、三劾於贛撫沈葆楨至需先人之廬爲彌補勸諭械鬬而受傷於磚石、亦可謂拙宦矣、其僅僅藉手者、代浙省勸輸米捐、受知於浙撫左宗棠辦理江省軍需報銷米捐總局、牙釐總局、受知於贛撫劉坤一、勸辦團練選精銳立虎營、解散土匪袁郡賴以安謐、紳民請代繳虧欵、其他桑落亦松等鄉之築堤、歸里之條陳變通錢法、修弋陽之城垣學宮衙署、建疊山書院、重修邑志、刊訂文節集、勘繪袁臨瑞「三屬輿圖」、修臨江之大成殿學署而已、同治四年賞加道銜以知府遇缺卽補、而喬樅未幾卒矣、子紹釗壬戌科擧人（傳衍）

（考註）陳立卒

一八〇

（年譜完）

陳恭甫先生父子箸述攷略

附

陳恭甫先生父子箸述攷略 目錄

(左海全集) 恭甫先生

其他

五經異義疏證　三卷　陳壽祺箸

嘉慶十八年正月恭甫先生自序

嘉慶十八年八月門人仙遊王捷南後序並校錄　全集本　學海堂本

按互見本譜嘉慶十三年十八年內、先生之學萃於經、而五經異義爲經學之門徑故治經者必問津焉、欲知先生之學者亦當於此、故下特繁引之以見梗概

恭甫先生自序曰「……五經皆手定於聖人、羣弟子之學焉者、微言大義靡不與聞……

石渠議奏之體、先臚衆說、次定一尊、覽者得以考見家法、劉更生之爲五經通義、惜皆散亡、白虎通義亦多闕佚、且經班固刪集深沒衆家姓名、殊爲疏失不如異義所援古今百家、皆擧五經先師遺說、其體仿石渠論而詳贍過之、許君又箸說文解字、綜貫萬原、當世未見遵用、獨鄭注儀禮旣夕記、小戴禮雜記、周禮考工記、嘗三稱之、所以推重之者至矣、顧於異義之駁者祭酒受業賈侍中、敦崇古學、故多從古文家說、司農囊括網羅意在宏通、故兼從今文家說、此其判也、按張懷瓘書斷、叔重安帝末年卒、鄭君別傳康成永建二年生、鄭氏於許爲後進、而繩糾是非爲汝南之諍友、夫向歆父子猶有左穀之違、何鄭同室奚傷箴盲之作、聖道至大百世莫殫、仁者見仁、智者見智、蘄於事得其實、道得其眞而已、今許鄭之學流布天下、此編雖略然典禮之閎達、名物之章明學者循是而討論焉、其於昔人所譏國家將立辟雍巡守之儀、幽冥而莫知其原者、庶乎可免也」

郝懿行「答陳恭甫侍御書」(丙子)曰「…　承遠頒異義疏證展誦之餘、如聆謦欬、意甚樂也、居常私念五經異義一書、紛綸葳蕤、櫽括宏通、漢儒舊說、多藉收羅、實古經之淵囿、箋注之郭郛也、不獨因爲許君之書偏存愛嗜耳、鄭君之駁過於掊擊、鄙意雅所不喜、且經生師援各有門風、異撰何傷亦各其志、推此而言鍼盲發墨亦屬詞繁況五經無双之許叔重者乎、愚病此久矣、聊因尊箸一發洩之　(曬書堂文集卷二)

沈豫曰「……夫、異義叔重作之於前、駁論康成辨之於後、往哲規制擴然大備、今疏證復闡發其遺恉、開拓其餘蘊、通德爲汝南之諍友、而編修更爲許鄭之替人也」(皇清經解提要卷下)

尙書大傳箋三卷序錄一卷訂誤(辨譌)一卷坿漢書五行志(輯入劉氏五行傳論)三卷

漢伏勝撰　鄭玄注　陳壽祺輯校

守禮按、陳澧(詳說見後)刻本無「漢書五行志」及所綴「五行傳論」、各本均有異同、玆先據仝集本錄目、以清眉目

尙書大傳定本序(案、文集作「尙書大傳箋序」)

卷一上　序錄　建立伏博士始末(案節錄孫氏平津館叢書本)、重修伏生祠記(元張起巖撰)

卷一下　唐傳、堯典

虞傳、九共傳　虞夏傳　今重定傳文

卷二上　虞夏傳、臯陶謨　夏傳　禹貢　夏傳

卷二下　殷傳、帝告　湯誓　殷庚　高宗肜日　西伯戡耆　微子

卷三　周傳、大誓　牧誓　大戰篇

周傳、洪範　洪範五行傳

卷四　周傳、大誥　金縢　嘉禾　康誥　酒誥　梓材　召誥　洛誥　多士

毋逸　揜誥

周傳、　多方　槩命　鮮誓　甫刑

卷五　略說

尙書大傳(原注曰、諸書所引有未審何篇無所坿者、今綴於此)

尙書大傳辨譌

洪範五行傳　上　漢書五行志　上

中　中之上

中之下

下　下之上

下之下

雜綴

按、右全集本、　署「道光庚寅門人栞於福州、受業嘉應吳蘭修校、」

「古經解彙函本、　按、此本載全集本之序以下至卷五尙書大傳辨譌之末、而以唐傳以下至辨譌之前括爲三卷、卷後間入陳澧坿記、記曰「尙書大傳陳恭甫編修輯校五本、最爲詳覈、其序云三卷而刻本則五卷、又每卷內刻板多不連屬、案語之字大小高下、亦不畫一、皆刻板之誤耳、今併爲三卷、繕寫整齊、而重刻之、其他皆不移改、其序錄一卷、辨譌一卷、今併刻之辨譌則其序所謂訂誤也、序又云「末載漢書五行志、綴以它書所引劉氏五行傳論三卷」其刻本無之、蓋當時未付刻、然此因大傳而連及之、今刻經部書、固不必有此耳陳澧卅記

續皇清經解本　按是本缺序、（此經解本之常也）序錄以下二文亦不轉載、載本文唐傳以下至微子爲一卷、至甫刑爲一卷至綴吝之尚書大傳爲一卷、亦缺尚書大傳辨譌、至於不錄五行志固不待贅也且書名改爲「尚書大傳輯校」

四部叢刊景印本　按是本印全集本、起自序至辨譌、亦不及漢書五行志、

恭甫先生尚書大傳箋自序曰「：　尚書大傳四十一篇見漢書藝文志、鄭康成序、謂出自伏生、至康成詮次爲八十三篇、宋世已無完本、迄明遂亡、近人編輯有仁和孫晴川本、德州盧雅雨本、曲阜孔叢伯本、孫・盧本多殺舛、孔氏善矣、而分篇强復漢志之舊非也、其他譌漏猶不免焉、今覆加稽覈揭所據依、稍參愚管、而爲之箋三卷、首爲序錄一卷、其所芟除別爲訂誤一卷、末載漢書五行志、綴以他書所引劉氏五行傳論三卷、總爲八卷（見左海文集卷六）

譚獻曰「　：閱陳編修尚書大傳定本、嘉慶以來儒者講西漢之學、不佞少治毛詩、不欲

襍後鄭說、治易若孟氏之學微、尚書一不幸遇秦燔、再不幸遇馬鄭不爲十六篇作注、三不幸遇晉人作僞、四不幸而伏生大傳北宋後殘闕不完、區區輯耆、大義亡失不少、西漢之學誰其尋墜緒之茫茫邪、前盧氏、後陳氏亦止攷訂之勤耳（復堂日記丙戌年(卷七)）又曰「……校定尚書大傳、勘定盧雅雨本、鄂刻蓋用盧本也、纂輯之書覺陳恭甫編修後起者勝」（復堂日記光緒辛巳年(卷五)）

清史列傳稱曰……陳壽祺解經得兩漢大義、每舉一義輒有折衷、兩漢經師莫先於伏生、莫備於許氏鄭氏、壽祺闡明遺書、箸尚書大傳箋三卷……」

皮錫瑞曰「……自暴秦燔坑、經義堙曖……降逮元明、競逞虛誕、俗學蔑古、委之榛蕪、空言禍經、烈於秦火、近儒蒐輯古書不遺餘力、而伏傳全本莫睹人間、吳中略摭缺殘、侯官復增校訂、揆之鄙見、尚有譌漏、乃重加補正、爲作疏證……」（皮氏尚書大傳疏證自序）

梁啓超曰「……尚書大傳、爲漢初首傳尚書之伏生所箸、而鄭康成爲之注、這書在尚書學裡頭、位置之重要、自不待言、但原書在宋時已殘闕不完、明時全部亡佚了、清儒先後搜輯的數家、最後陳左海(壽祺)的尚書大傳輯校、最稱完善、而皮鹿門(錫瑞)繼著尚書大傳疏證、更補其闕失、而續有發明……」（中國近三百年學術史二九四頁）」又曰而其(皮氏)疏釋專采西漢今文經說、家法謹嚴……」（三八四頁）

守禮按 然則恭甫先生家傳尚書大傳之學傳於家、樸園先生賴此成今文尚書經說考、湖南皮氏則直疏證其書而已

尚書緯抄 一本 陳壽祺箸

手抄本

按、謝章鋌課餘續錄曰「……尚書緯抄一本、共六十餘葉、 陳恭甫先生手輯、自刑德放德命驗以下、及孔廣林所輯尚書中候鄭注十數種、想先生欲說尚書緯、尚未編摩成書、此其底本也、然注疏及各類書所采書緯略備矣(賭棋山莊全集之內)

禮按、 此恭甫先生七緯攷正之一也、七緯攷正之名亦僅見於先生與阮元書而已、(參看本譜嘉慶十九年內)

歐陽夏侯經說攷 一卷 陳壽祺撰、子喬樅續成(詳後)

魯齊韓詩說攷 三卷 陳壽祺撰、子喬樅續成

有自序、署「嘉慶二十四年己卯仲春福州陳壽祺、識於三山之遂初樓」(詳後)

禮記鄭讀攷 四卷 陳壽祺撰子喬樅續成六卷

有恭甫先生自序(詳後)

左海經辨 四卷 陳壽祺撰(坿甲子癸酉甲戌段玉裁(懋堂)札、按、坿札又收錄左海文集中「與段茂堂書」之後文集全載、此經阮元節錄者)

道光癸未仲秋鋟、庚午冬日嚴杰跋、是爲全集本（或名「陳氏藝文錄」本）

學海堂本（刊落前後、識去不要）

沈豫曰「……陳編修左海經辨・文集：閩自唐以上、鮮文人、歐陽詹以後俊彥秀髦、代有其人、國朝安溪李先生尤爲儒林道學之望、近日少穆林中丞、以經濟顯、蘭卿李觀察昆季、以詞翰名、而編修獨以經術雄長一時、予讀是集、深雜其根據確、議論宏、盖漢之馬鄭與」（蛾術堂集皇清經解提要卷下）

說文經詁　二卷　陳壽祺撰

謝章鋌藏抄本一卷

按、參見本譜嘉慶十九年所引先生與阮元書、及箸述攷略「左海文拾遺」條、

說文經字攷　一篇　陳壽祺撰

按、此左海經辨四卷中之一篇也、以其於說文之學儼成一書、故生下列各本

半畝園小學類編本（按、參見本譜咸豐三年引李氏祖望所序）

說文答問合刻本（按、京都市「東方文化學院京都研究所漢籍簡目」箸錄曰、「說文經字攷一卷說文答問疏證六卷經字攷清陳壽祺撰答問疏證清薛傳均撰、光緒十三年鴻寶齋書局用郭傳璞刊本景印）

郭氏辨證本　四卷（按前引漢籍簡目又箸錄說文經字攷辨證四卷、曰「清郭慶藩撰光緒二十一年湘陰郭氏岵瞻堂維揚刊本」）

宋氏補證本　不分卷・一本（溧陽宋文蔚補證、民國二十三年刊、外題曰「侯官陳恭甫輯說文經字攷」）

宋氏補證自序曰「竹汀先生云、今世所行九經、乃漢魏晋儒一家之學、叔重生於東京全盛之日、諸家講授、師承各別、悉能通貫、故於經師異文採摭尤備、嘗臚列若干字、於前賢所謂以字證經、以經證字者已略具梗概、嗣閩陳恭甫續有補輯、吾師曲園先生又續輯之、錢氏之書已有薛子韶爲之疏證、吾師之書、愚曾仿薛氏之例疏證、求是正於師門、蒙以一言序之、實未印行也、陳氏之書、近亦疏證成卷、惜在吾師夢奠之後、書中違誤之處、尙俟有道匡正」

兩漢拾遺　二卷　陳壽祺撰

按、是書箸錄于「行實」及見名于「恭甫先生與阮元書」（本譜十九年引）而已、

東越儒林文苑後傳　二卷　陳壽祺撰

全集本　按、此上史館稿也（參見本譜嘉慶十四年十七年內）恭甫先生「與方彥聞令君書」曰「……彥聞先生令君執事、日者承敎以鄙撰東越儒林文苑兩傳、標題居其大名、而所錄乃本朝人物、於義未符、誠嚴誠覈……仰承指示、覺悟未遲、擬於兩傳上各增後字、較相區別、庶免乖違、又敝鄉明陳鳴隺有東越文苑傳箸錄四庫、踵而爲之、固其宜也……」（左海文集卷五）

福州烏石山石刻　一本　陳壽祺輯

抄本　按、謝章鋌曰「福州烏石山房石刻一本、陳恭甫先生輯、蓋修通志時所采訪也、昔吾友黃肖巖讀書彌陀寺、摹搨碑刻殆徧、郭蒹秋因之作山志、不知有異同出入否、倘當考之、朱竹君覩閩學詔諸生以金石之學、學署三百三十三亭、人立一石、石刻其人姓氏、是卽摩崖題名之意也、亦可見其（禮按、指恭甫先生）癖於此矣、然閩無唐以前石刻、唐亦不過般若臺東西二塔、閩王德政碑數種、石之壽久於金、以其不便移徙收藏、故能長留於其地、陳觀察之墓久成平地、後堀地得其埋銘、從而追尋、其墓得全不可謂非石之力也、然一遭回祿、則亦難保、卽如此本所載、朱筠題記、在道觀山金魚池石壁上者、甲午觀災、其字亦多剝落矣」（課餘續錄卷四）

按、恭甫先生治經學小學、亦頗及金石之學、除此拓刻之外、如詩集所載題詠金石者不尠、又如本譜同治三年所引復堂日記、自謂於同治三年到閩、借觀恭甫先生舊藏、必連稱書策金石、皆足以見先生嗜好金石之篤也、

遂初樓雜錄　二卷　陳壽祺撰

抄本　按是書箸錄「行實」、（詳見本攷略左海文拾遺條、收錄經史雜文）

左海文集　十卷　陳壽祺撰

經解本　二卷　（按、阮元摘錄其有關經學者）

全集本十卷　玆據全集本十卷、略爲分類、則卷一恭紀、卷二賦、卷三論說、卷四上・論學書札、卷四下・書札卷五書札、卷六序、卷七序、卷八記、卷九傳・銘、卷十銘・行實・呈詞・正俗戒・事宜・規約、

林昌彝曰「……近代古文詞以秀水朱錫鬯爲最、同時侯・魏・汪・姜均不及也、繼之者若朱

笥河之神似龍門、李申耆及陳恭甫師之骨似孟堅、均善學西漢者也、方靈皋譬之自鄶以下無譏焉(硯耘緒錄卷十五)

李慈銘曰「……閱陳左海文集、左海爾雅有法、而頗推其鄉人朱梅崖之文、則鄉曲之見矣、張亨甫爲其弟子、而亦盛稱其詩、尤近阿好(見越縵堂日記光緒十四年十月十六日)

又曰「……閱左海文集、其與何郊海書、規其偁何氏學之非體議彈先輩之過當、及謂福建當稱東越東冶、不當偁閩之偏駁、皆足爲高明者之鍼砭(見越縵堂日記光緒十四年十月十七日之內)

其餘諸家之評、散見本譜內

左海駢體文　二卷　陳壽祺撰

全集本、按全集本題曰「左海乙集駢體文」有嘉慶辛酉(六年)武進張惠言題辭、先生之駢文美否、讀本譜乾隆四十七年以下足以推見其一斑矣

絳跗草堂詩集　六卷　陳壽祺撰

全集本　按、卷一五言古詩、卷二七言古詩、卷三五言近體詩、卷四百韻詩三首、卷五七言近體、卷六同上、各體概依製作年代排次、

按、孫爾準「壽恭甫前輩詩」有「博通夾漈空前輩、兼擅長蘆有替人」句、注曰「夾漈積數十年之功、爲經旨禮樂天文地理蟲魚草木之學、皆有著述、又討論圖譜亡書、君之學實似之、

國朝碩儒林立、而樸學之外、兼擅六詩三筆者、頗難其人、惟小長蘆奄(指朱彝尊)有衆長、以君儷之、殆無媿色(見詩集首)

東觀存稿　一卷　陳壽祺撰

全集本　按、據林昌彝說、有周櫓元者、襲陳恭甫師東觀存稿試律四十餘首、分刻詩社諸人襍以己詩另刊一集、殊爲笑柄(見硯桂緒錄)、未知果有諸、事涉瑣聞、然錄之以辨黑白亦不爲無端

左海文拾遺　一卷　陳壽祺撰

抄本　謝章鋌曰「……左海文拾遺一卷、說文經詁一卷、遂初樓雜錄一卷、閩縣陳壽祺恭甫箸遺文、廣東鄉試策問五道、蘭州府知府龔公家傳、刑部尙書陳公墓志銘、共三篇、雜錄方日斯佚事一篇、其餘皆雜攷經史及小學、高雨農曰、古人雜問多入集、今體制不能如古、似不必存、又曰家傳頭緒頗繁風神彌逸、其行文有收有放有節制、並取法於史漢、而格於承祚、故優游有餘如此、此良友(禮按謂高氏與恭甫先生友好)觀摩之盛心、不得謂爲好議論也、諸篇或已刻本集登板時別有刊定、閩人專治漢學自恭甫始、而其文氣寬博旁皇、亦近班・范、固非桐城所得囿也、或謂左海文與結觭亭相近、此語不爲無見(課餘續錄卷五)

福建通志　陳壽祺總纂

一、參見本譜道光九年道光十二年內

二、樸園先生曰「閩省通志自雍正九年乾隆三十三年修纂以來（按朱士嘉中國地方志綜錄所收較詳）距今遠及百年、近亦三十餘載、獻文散失、舊志又多舛誤、先考以爲亟宜詳加纂正、勒爲成書、上年有修建貢院餘貲一欵、乃言於兩府（注一）謂係通省所捐、應辨通省公事、兩府深然其言、先考乃爲之剏立義例、並採訪事宜、遂薦江南李申耆（按名兆洛）明府爲總纂、既開局、李君不至、兩府堅請先考總其任、先考請不受聘而身與其事、踰年兩府知其勞且有所費、遂不告以先考名入奏、不得已乃受聘焉、於是釐定條目、舉才者分任之、而總其成、復自纂形勢山川二門、逾三年病甚、猶力疾訂改山川稿本不輟（行實）

（考註）一、　左海文集卷三有「代作檄閩省郡邑採訪通志事實」一文、詳舉前人史書及修志方法、兩府之名參見本條第六項

（考註）二、　林昌彝曰「…道光壬辰陳恭甫師屬余協修吾閩省志、爾時借鈔海內宋元明以後舊志、而肇域志則借從李申耆家、時余修吾閩山川形勢…」（硯桂緒錄卷六）禮案、據此則恭甫先生山川形勢二稿曾得林氏爲之協修也、

三、梁章鉅曰「吾閩舊省志中、仿立理學一傳、陳恭甫詆斥不遺餘力、近因續修省志、欲遂刪之、都人士皆不謂然、余謂道學莫盛於宋、濂洛關閩之統、實朱子集其大成、海濱鄒魯之

風、自前代即無異議、故他史可不傳道學、而宋史則應有、他省志可不傳道學、而閩志不可無恭甫墨守漢學、其排擠宋儒、是其故智而不知門戶之見、非可施諸官書、阮先生亦主漢學者、恭甫爲先生高弟乃背其師説説見原書此節之前又何心哉、——（退菴隨筆・讀史）

四、陳衍作高澍然傳稱引曰「…後壽祺卒、遂以總纂屬澍然時壽祺纂通志將脱稿、里中某巨公（守禮按合後證撰諸梁章鉅）有憾於壽祺、嗾數人出愬當道、摘摭志稿不善、澍然乃有與鄭方伯王觀察論通志彙辯總纂書」云・頃聞省中數公條舉通志稿不善五事、愬於列憲曰、儒林混入孝義、濫收藝文、無志道學、無傳山川、大繁請發稿公勘者、諸公是學因故太史陳恭甫先生入儒林傳、托志稿發難、而釋憾於先生也、果諸公留意鄉國文獻欲善其書以垂永久、澍然方接辨總纂事、何不可商搉、必形諸公牘乎、澍然義不容嘿請得而疏辨之、國朝諸傳、衆以嫌不敢執筆、仁和陳君扶雅（名善）、自浙來、孫文靖公特委重焉、以地處無私、可以唶衆口也、而扶雅於恭甫先生之存、不如初懽、及既沒當補傳、向其家索節略、其家匿不肯出、情可知也、扶雅故昌言於衆曰、恭甫先生行實吾不知、其箸書如五經異義疏證、左海經辨發明鄭許之學、爲傳經者圭臬依史法可儒林傳、夫以不如初懽之人、持論如此、可以見公道之在人心矣（陳衍志文苑傳高澍然傳）

五、林昌彝曰 「吾閩葉文忠公謂閩人不善爲名（原注云、見文忠文集）此葉文忠公之微詞也、余謂閩人不獨不善爲名，且樂掩人之名，近者徵之閩縣陳恭甫先生，言經學則今之賈逵服虔也，言文章則今之班固范曄也，言詩歌則今之虞劉兩文靖也，閩人言經學之不落空談者，恭甫先生爲最，乃長樂梁芷鄰中丞，著退菴隨筆毀之謗之矣，又箸試帖叢話，並其試帖亦擬之議之矣，然於恭甫先生之名無傷也，而中丞以閩人攻閩人，同室操戈有失中厚之道，此中丞已自不善爲名之證也（見硯桂緒錄卷十三）

六、英桂曰「……道光十年孫文靖公、韓雲舫中丞，奏請開局續修（福建通志），旋因經費不敷，暫行停局，十九年魏麗泉中丞權督篆時，書甫脫稿，閱二十八年吳仲宣制軍、李星衢中丞莅閩，因紳士之請籌欵挍刊（同治重纂福建通志序）

按，此雖膚說，與次項合讀亦可藉知中間曲折，卽恭甫先生所纂而梁中丞之所擴，直至五年後始見重編，又二十八年始編成也（已非原志固不待言）

七、謝章鋌曰「……（恭甫先生）鼇峯載筆圖專爲修福建通志而作，關係頗鉅，再閱數千年恐無有知其始末者，志告成矣，方將移寫校刻，而先生棄賓客，某中丞（禮按林昌彝所稱梁中丞也）者，素以文學自結於先生（禮按，恭甫先生與梁章鉅酬和之詩甚多）里居相望，因築室微有違言而芥蒂未能忘也（禮按見次項所引之詩自明矣），乃乘隙修怨倡言新志乖義法，衆紳之不法者，鬨而和之，時總纂分纂諸君子，尚在志局，不以所擬商之局中，竟縷列公牘嗚之官，當路亦有訝其不情者，而中丞方秉用，有權勢、弗敢質也、乃捆載全稿歸之、陽推中丞爲刪定、而事體繁重、中丞方營營富貴、實亦無暇及此、遲之又久、委託非其人、以鈔胥爲作者、毀新返舊、新稿全付一炬、令旁觀無從校證、吁可怪也、章鋋雖未及先生門、而其高第弟子、多相知、輙以遺事詔我、其中最可惜者、如職官表綜核可參六典、經籍志派別可尋家法、方言攷通轉可悟小學、其餘類此者尚多、今則不遺一字矣、或有分修成帙、感憤自剞劂者、如錢塘陳扶雅之列傳、仙遊王懷佩之地理沿革攷、皆足名家、今亦傳本漸稀矣　題圖諸作則侯官林文忠公七律已定是非大概而建寧張亭甫孝廉之七古敍述尤悉、句下夾注詳而確、圖外尚有錄本、讀其詩、考其注、於玆事暸然矣、其不系題圖文字、則光澤高雨農舍人之與鄭方伯王觀察論通志兼辭總纂書（抑快軒未刻文集）、侯官林香谿廣文之通志條辨（射鷹樓詩話）閩縣何道甫之記新志經籍（藍水書墪未刻筆記）閩縣劉烱甫刺史之志稿感賦六首（岷雲樓續集）最後左文襄公蒞閩設局正誼書院開雕此志、時侯官林勿村中丞爲院長或謂近數十年事、志所不及當補、中丞曰刻志大府盛擧也、然志已非舊我輩分謗可乎、林中丞尚不隨人道黑白者、其序可采也、此外未見者想猶不少、章鋋擬輯錄一編（陳鄉賢叢著載筆圖紀事輯錄一卷）以遺來者、庶幾公論之不泯乎

（賭棋山莊集文又續卷二）

八、恭甫先生作黃樓詩和梁芷林藩伯詩曰

黃巷門庭憶德溫　黃樓新構面梅軒
但教地踵蘭成宅　何事名爭謝傅墩
白社人開九老會　綠楊春接兩家園
買鄰百萬因君重　付與雲仍細討論

(考注)（詩集(五)贈興化俞朗懷(恒潤)詩、末二句、使君坐嘯壺樓曉、肯憶山人巷姓黃、原注曰、余(恭甫先生)家福州黃巷、唐黃璞故居也、璞後遷莆田、故莆田亦有黃巷山之名。黃樓謂梁家、梅軒必先生家樓號也、又原注曰、公辭適符白香山歸洛之年、朋舊過從無虛月、亦與香山同、又白樂天欲與元八宗簡卜鄰詩、綠楊宜作兩家春、余宅與藩伯隔垣、前後亦有兩小樓、是詩之作依詩集之次序當在道光十二年九月(參見本譜)之後、前舉梁氏中傷之語、次有謝氏云「某中丞、、里居相望因築室微有違言、」乃修隙修怨、玆證以此詩可自明矣、）

九、陳衍曰：……「通志……馮登府金石志之補前此所未、有陳善高澍然列傳之雅馴尤卓卓可傳……書垂成而壽祺沒、於是有修怨攻訐敗乃事者、語詳文苑高澍然傳中、初壽祺有鼇峯載筆圖專爲修志繪也、身後題詠者林立、若林宮傳則徐七言律張舉人際亮七言古、謝中書章鋌長跋、皆於此事是非明辨以晳、語在各集中、……」(衍傳)

十、臺灣總督府圖書館所藏中華民國地方志類十餘種中有箸錄

一、重纂福建通志　清孫爾準等編　同治七年二七八卷

按、此卽光緒二十一年謝章鋌謂新稿全付一炬……今則不遺一字(見本條第七項引)、而同治七年至十年開雕林鴻年(號勿村)不欲分謗之志、仍舊題孫爾準等編

新序說苑校本　禮按、復堂日記卷四（光緒五年己卯）曰、閱新序說苑、少時縱論以二書當魯詩外傳、莊中白是之錢容堂非之、二書未有善本、南皮先生云、陳恭甫編修有校本、予在閩未之見

其他、輯別錄七略・閩詩苑（見本譜嘉慶十九年）

又、預修之書、有海塘志、經郛（本譜嘉慶六年）仁宗御製全史詩注（本譜嘉慶十六年）

小琅嬛館叢書（亦名左海續集）（按、恭甫先生「庚寅正月邀敦甫尚書仰山侍郎小集鼇峯講院尚書即事有詩次韻奉和詩」之注曰「……元人所記張茂先入琅嬛福地事乃建安地也祺家做齋署曰小琅嬛館、……（左海詩集卷五））

皮錫瑞、謂清朝經師能紹承漢學者、有二事、一曰傳家法、云陳壽祺今文尚書三家詩之學傳子喬樅、淵源有自、一曰守顓門、云陳喬樅今文尚書經說攷專攻今文卓然成家、又謂清朝經師有功於後學者有三事、一曰輯佚書而必擧陳恭甫先生父子今文尙書三家詩之學（參見皮氏經學歷史）

蒙文通氏曰「……儀徵劉左菴師、稱廖師爲長於春秋、善說禮制、洞徹漢師經例、自魏晉以來未之有也、前乎廖師者、陳壽祺喬樅父子、搜輯今文尚書三家詩遺說、而作五經異義疏證、陳立治公羊春秋而作白虎通疏證、皆究洞於師法、而知禮制爲要、然體制未立、故仍多參出差入、廖師推本清代經術、常稱二陳箸論漸別古今、廖師之今文

學固出自王湘綺之門、然實接近二陳一派之今文學、綜貫群言而建其樞極也（「井研廖季平師與近代今文學」學衡第七十九期）

按樸園先生所箸十二種、惟禮堂遺集四卷未刊入全集、全集所收十一種、除詩緯集證四卷、外皆考注經說疏通經義之箸、均錄入王先謙皇清經解續編之內

魯詩遺說攷　六卷　敍錄一篇　陳壽祺原箸、子喬樅續成

全集本　續經解本　凡樸園先生所續者標「補」字所攷者減格、冠以「喬樅謹案」四字、參見本譜道元十八年、

譚獻曰「夜錄陳喬樅樸園詩經廣詁校語、蓋樸園撰齊魯詩遺說時、以此爲底本、（復堂日記（甲子年））

齊詩遺說攷　四卷　敍錄一篇　陳壽祺原箸、喬樅續成

有全集本　續經解本（參見本譜道光二十二年內）

李慈銘曰「……得傅節子八月廿二日福州書、幷陳恭甫先生左海文集兩函、及樸齋（按禮當是樸園之誤）齊詩遺說攷、詩四家異文攷、禮堂經說（越縵堂日記光緒十四年九月廿二日）

又曰「……比日小極閱陳樸齋齊詩遺說考共四卷、三家齊最無徵、樸齋本其父左海所輯之緒、增而益之、推衍其說、凡所增者加一補字、以爲別、其探采可謂備矣、覈而論之惟

詩緯如推度災、氾秝樞、含神霧等蓋多齊詩說、公羊本齊人、春秋繁露中、或有齊詩說、餘皆推測流派、近於景響之談、至鄭君明云習韓詩、亦間用魯詩、樸齋强以漢書證齊詩亦顯背其父說矣」(越縵堂日記光緒十四年九月廿二日)、引論至於數千言、

韓詩遺說攷　五卷　敍錄一篇　陳壽祺原箸、子喬樅續成　坿外傳坿錄內外傳補逸

全集本　續經解本(參見本譜道光二十年內)

皮錫瑞曰「……至於近人之書、則以陳奐詩毛氏傳疏、能專爲毛氏一家之學、在陳啓源・馬瑞辰・胡承珙之上、……陳喬樅魯詩遺說攷、齊詩遺說攷、韓氏遺說攷、能兼攷魯齊韓三家之遺、比王應麟范家相、馬國翰爲詳、學者先觀二書可以得古詩之大義矣(詩經通論)

按、宣・民間、長沙王先謙集三家詩義、編爲詩三家義集疏、多采于恭甫先生父子之業、其自序有曰「……毛詩……徒以古文之故、爲鄭偏好、諸家既廢、苟欲讀詩、舍毛無從、撫今者、溯往事、而不平、望古者、覩遺文而長歎、是以窮經之士、討論三家遺說者、不一其人、而侯官陳氏最爲詳洽、甄錄辨言藉明梗概、其文其義散具篇章……」

詩經四家異文攷　五卷　陳喬樅箸

全集本　續經解本(參見本譜道光二十三年內)　長汀江瀚「詩經四家異文攷補」一卷有刊本

今文尚書經說攷　三十二卷　敍錄一篇　陳喬樅箸

坿尚書歐陽夏侯遺說攷一卷（參見同治元年本譜）

全集本、續經解本　全集本坿收曾國藩・李鴻章書札

謝章鋌曰「……樸園曾以今文尚書遺說攷就正於曾文正公、於時干戈稍靖、絃誦未興、而二公（禮注指曾國藩・李鴻章也）卽以經術潤飾吏治、雖似迂濶而實爲愛人易使之先聲、然亦惟曾文正公乃能之耳、今節錄兩札以梗槩……」（見「賭棋山莊全集」課餘續錄（卷五））

禮按、兩札謂樸園先生之「上復忠靖侯曾中堂論今文尚書書」及曾國藩原函也、文繁玆不能具錄、（按曾文正公手書日記同治七年五月十四日曰「…將陳喬樅今文尚書考繙閱數十葉」）

謝章鋌又曰「其今文尚經說攷謂二十九篇今文具存、十六篇既無今文可攷、遂莫能盡通其義、凡古文易書詩禮論語孝經所以傳、悉由今文爲之先驅、今文所無輒廢、向微伏生、則萬古長夜矣、歐陽大小夏侯各守師法、苟能得其單辭片義、以尋千百年不傳之緒、則今文之維持正經於不墜者、豈淺尠哉、凡先生所論列實事求是類如此、其他書或創於編修未亡之日經其指示、或成於編修既歿之後、準其遺訓、而一時名公碩彥、莫不引爲畏友、儀徵阮文達公以爲析前人所未析、蕭山湯文端公以爲見博而思精、最後始爲尚書說、其時宿學漸蕪、微言靈落而登目扼腕者流、方以敗壞人材訾謷考據家、獨湘鄉曾文正公通經能文章見其書以爲可傳」（墓志銘）

皮錫瑞曰「……孫星衍尙書今古文注疏、於今古說搜羅略備、分析亦明、但誤執史記皆古文、致今古文家法大亂、亦有未盡善者、然大致完善、優於江・王、故王懿榮請以立學、其後又有劉逢祿尙書今古文集解、魏源書古微、陳喬樅今文尙書經說考、三家之書皆取今文、不取古文、蓋自常州學派以西漢今文爲宗主、尙書一經亦主今文、劉氏魏氏不取馬鄭並不信馬鄭所傳逸十六篇、其識優於前人、惟既不取馬鄭古文、則當專宗伏生今文而劉氏魏氏一切武斷改經增經、從宋儒臆說而變亂事實、與伏生之說大背、魏氏尤多新解、皆不盡善、陳氏博采古說有功今文、惟其書頗似長編、搜羅多、而斷制少、又必引鄭君爲將伯、誤執古說爲今文以致反疑伏生、遂棄初祖、亦有未盡善者但以捃拾宏富、今文家說多存、治尙書者先取是書、與孫氏今古文注疏、悉心研究、明通大義篤守其說、可不惑於岐趨……猶易取焦・張兩家之說也」(書經通論)

尙書歐陽夏侯遺說攷　一卷　陳喬樅著

按、是書載在「今文尙書經說攷」之首卷、非別爲一書、

禮記鄭讀攷　六卷　陳壽祺原箸、子喬樅續成

全集本　續經解本(參見本譜道光十二年)

謝章鋌曰「……其禮記鄭讀攷、謂三禮之學、周禮則有金壇段茂堂之漢讀攷、儀禮則有

涇縣胡墨莊之古今疏義、因專治禮記四十九篇、(墓志銘)

毛詩鄭箋改字說　四卷　陳壽祺講子喬樅述

全集本　續經解本(參見本譜道光九年)、樸園先生序曰

「家大人曰鄭君箋詩、其所易傳之義、大氐多本之魯齊韓三家、……鄭君深明於文字聲音訓故通假之源、折衷微言、擇言而從、近儒臧氏玉琳著經義雜記、首發其覆、嗣陳氏見桃毛詩稽古編、惠氏定宇詩經古義、段氏懋堂詩經小學、皆有所發明、然尙有未詳者、家大人向嘗鉤攷詩魯齊韓三家詩、欲爲傳箋同異者、疏通證明之、輯而未成、喬樅謹遵所聞、蒐討羣書、參互攷證、申明鄭君之說、凡風雅及頌共若干條……」

齊詩翼氏學疏證　二卷　陳喬樅箸

全集本　續經解本　道光二十四年陳慶鏞爲之序、所序並可烏瞰淸代三家詩今文學、故不憚繁引之、亦可窺詩學大箸、於是時梓行未行之梗槩、序曰(參見本譜道光二十三年)

漢初毛詩未行、魯齊韓三家並立博士、自毛出而三家熄、齋詩亡於魏代爲最早、學者尋繹墜緒、每得一義如珍拱璧、宋王伯厚搜羅三家遺說、頗費苦心、近余仲林(蕭客)范蘅洲(家相)盧召弓(文弨)臧在東(鏞堂)王仁圃(謩)馮柳東(登府)諸君子續緝略備、然學者猶有擇焉不精、語焉不詳之憾、余友山陽丁儉卿(晏)魏默深(源)於三家詩說各有箸錄、丁書逐加詳覈、魏書統

言大義、二者言各有當、其書並未梓行、學人多未得見、至治齊詩翼氏專家之學、則余同年友吳江迮靑崖(鶴壽)譔齊詩翼氏學四卷、於奉所言、始際名義、逐層疏解、創爲四始圖、五際圖、八部陰陽相乘、八部詩篇循環、五紀積年、諸圖、其未明者、復爲表例以釋之、其於翼氏一家之學、可謂專心致志矣、吾師恭甫夫子、稽譔達恉、說經諸書、海內宗之、嘗搜討魯齊韓三家佚文佚義、與毛氏異同者、爲參互考訂、然輯未成而哲人其萎、其子樹滋孝廉、過庭受學、復卒是業、……甲辰春樹滋計偕來都、出所刻齊詩翼氏學疏證一書、讀之覺於始際之義、渙然以釋、……、翼氏之學、自漢以後絕響、今得衍而傳之、可謂翼氏功臣、卽可謂轅固生功臣、而孔孟傳授宗旨、亦可以會矣」

詩緯集證　四卷　陳喬樅箸

全集本、(參見道光二十六年本譜按以其所說爲緯、故經解不之錄)

禮堂經說　二卷　陳喬樅箸

全集本　續經解本

李鴻章曰「經說一篇、尤爲總括舉凡、九拜之儀兩楹之位、獻酬之數、井屋之法、袗袀椽緣之文、藻率鞞鞛之物、莫不縷晰條分、如絲在欄、批亢導窾、如肉貫串、是以周禮多篇、阮儀徵閱而稱析、夾室諸攷王高郵見而稱精也」(見今文尙書經說考坿載李鴻章書札)

禮堂遺集　四卷　陳喬樅箸

按、是書同治十二年刊成、有樸園先生子(釗紹)序、先生所箸惟此書未入全集、謝章鋌謂「陳樸園遺稿」者似卽此書

謝章鋌曰「陳樸園遺稿一卷、閩縣陳喬樅樸園箸此恭甫先生之長子、能傳其家學、官江西守令數十年、文三十餘篇、詩古今體及試帖數十篇、未編卷、未挍定、蓋初稿底本也」(賭棋山莊全集課餘續錄卷五)

按、予所見福州烏石山房舊藏原刻本、無試帖、詩亦只三十四首、文三十餘篇中、自箸之自序亦擧目而已、謝氏所藏抄稿、未知尙存天地間否

其他、

按、樸園先生編輯或主編之書有「古照堂藏書」(詳見本譜同治七年)及任地縣志(散見本譜)

(攷畧完。)

後語

三山陳恭甫先生父子年譜坿箸述攷略。初稿之編發端於本學教授神田先生。蓋甲戌春。守禮侍先生讀陳奐毛詩傳疏。所引多淸儒攷據之書。談次往往及乾嘉經師事蹟。問於先生曰。陳壽祺父子爲嘉道儒林之碩望。而未有人作年譜者。殊爲憾事。且臺灣與福建。一葦可杭。關係匪淺。小子試爲之可乎。旣而得今村先生指示。先生固爲本學東洋哲學教授。守禮復從先生公餘專心編摩。至乙亥夏。稍整理原稿。年譜之編。始就緒焉。乃欲刊諸本學年報中。而發刊之期已迫。不暇再加理董。嗚呼以守禮之綿力薄才。敢作此譜者。聊以申高山景行之志耳。如其不逮。大方匡焉。

本譜旣成。得東京帝國大學漢學會雜誌第三卷第二號所載藤塚博士(現京城帝大教授)「汪孟慈所謂海外墨緣之草本與金阮堂」一文。中有關恭甫先生與翁覃溪逸事甚要。博士所引資料皆屬罕見之書。守禮以未得目睹不敢攔入本譜中。意在矜愼也。又三山楊氏(錫圭)。見惠私立福建協和大學出版「協大學術」第三期諸誌。閱金雲銘氏協和大學陳氏書庫福建人集部箸述解題。」益覺年譜資料增多。而亦未能入本譜中也。

丁丑孟春校字。（畢）。

PRELIMINARY NOTES FOR A COMPARATIVE STUDY OF CHRISTIAN AND BUDDHIST REPRESENTATIONS OF THE OTHERWORLD

Arundell del Re

These notes are a very tentative preparation for the study of one aspect of a vast and important subject namely: to what extent and in what manner have the eschatological conceptions of Mahayana Buddhism (*Daijō* 大乘) and Christianity found literary and artistic expression in the Far East and the West. The theme is one fraught with considerable difficulties and dangers for it not only covers a very extensive field both spatially and temporally, but it involves the consideration of religious attitudes and experiences that are as different as they are complex. Furthermore the enquiry to be fruitful must be pursued along two parallel lines—artistic (including painting, sculpture and, to a certain degree, architecture) and literary and be based upon graphic and textual evidence which is sometimes contradictory and often very difficult to correlate, in view of the fact that religious no less than aesthetic experience, at the highest level, is of its very nature unique. It is further necessary to determine in what manner and degree the works studied reflect the personal reaction of the artist to traditional religious ideas—individual though the mode of his expression may be—and, conversely, the nature, sources and significance of religious inspiration in the

Far East and in the West. Contrary to what I had originally intended, I have found it necessary to devote the greater part of this study to an investigation of the latter questions, so as to reach certain basic conclusions as a preliminary to a detailed comparative study of Amidist and Mediaeval Christian eschatology.

Recent investigations into the study of comparative religion and in particular of Buddhism and Christianity as well as the archeological discoveries of Sir Aurel Stein, Dr. von Lecocq, Foucher and others in Northwestern India, Tibet and Mongolia and, finally, the work of such eminent Buddhist scholars as Dr. Teitarō Suzuki, the late Dr. Sylvain Levy, the late Sir Charles Eliot and Dr. de la Vallée Poussin have thrown much new light upon Mahayanist Buddhism further confirming and widening the analogies previously pointed out between the gospel of salvation by faith in the Buddha and the gospel taught by Christ. It has not been possible to find any satisfactory historical link connecting the two beliefs other than the somewhat double-edged one of Nestorianism and Manichaeism in China. Dr. Lloyd in the *Transactions of the Asiatic Society of Japan* (XXXVIII, 75ff) draws attention to the remarkable resemblance between the Gnostic *Pistis-Sophia* and the *Hokkekyō* which, in connection with archeological evidence would support the theory of a Buddhist contact with Nestorian Christianity, or at any rate with Graeco-Roman art. Fr. Dahlmann commenting upon this view expressed the opinion that if the Buddha makes his first appearance in the garments of the Romans (after five centuries), it is only because his life and teachings had been undergoing changes under the very strong religious influences

coming from the Roman Empire during the first centuries of the Christian Era. He further adds that it is the Western Ideal of Godhead not that of the valley of the Ganges which, in Northern India, worked upon the features of the Buddhism that has conquered the Far East, passing from China to Japan. (loc. cit. p. 89) It would seem, however, that Buddhism in East Asia, like Christianity in the West, came to stress—at a given moment in their history — the idea that salvation might be achieved by *all* through Christ or through Amida—Buddha. As Dr. W. E. Soothill observes in his admirable introduction to what, I believe, ranks as the first literary rendering in English not only of the *Hokkekyō* (法華經) but of any Buddhist sutra-the doctrine of the Mahayana (and especially of that work) is "as revolutionary for Buddhism as was the doctrine of Our Lord to Judaism In the Gospels we have a human figure treading the human stage of action, commanding the affection of the common people, disturbing the vested interests of ceremonialists and legists, ending in a cruel death, and a further revelation to certain disciples."(1) More recently Dr. Streeter in his Bampton Lectures for 1932 on *The Buddha and the Christ* noted that "Mahayana s ands to primitive Buddhism in a relation not unlike that of the Gospel according to St John to that according to St. Matthew. That is to say, the interest has shifted from the detailed teaching of the Founder to reflection on the meaning for religion of his life and person."(2) To these two interesting and illuminating remarks I would tentatively, and with due reservations, and the following: if one is

(1) *The Lotus of the Wonderful Law*, Oxford, 1930. p. 55.
(2) London, 1933. Lect. 3, 'Evolving Buddhism', p. 83.

prepared to accept Dr. Suzuki's thesis that there is no real solution of continuity between Hinayana (*Shōjō* 小乘) and Mahayana, and that the latter, is a natural evolution(3) in accordance with the Tendai (天台) belief in the five periods (*goji* 五時), the nearest Christian parallel to the canonical books accepted by Hinayanists and Mahayanists, would seem to be, respectively, the Old and New Testament of the *Bible*.(4)

It is not my purpose to enter here into this very difficult and complicated problem upon the merits of which I am unable to express any opinion so far as Buddhism itself is concerned. I would remark, however, that whereas the Mahayanists were evidently conscious of a possible cleavage between their interpretation of the Master's teachings and the views taught in the Hinayana sutras, and that historically and actually Northern Buddhism is not accepted by the Southern Buddhists (even if they may not be entitled to claim that they alone are the true depositaries of Sakyamuni's *ipsissima verba*), no such cleavage exists in the Christian Church which possesses a unity of religious belief lacking in Buddhism, as set forth in the Creed not with-

---

(3) The Buddha in Mahayana Buddhism. (Eastern Buddhist, vol. I, 2, July 1921, p. 95 ff.) cf. also Eliot's *Japanese Buddhism*, London 1935. (cch. II, XVI and passim) The most recent and authoritative study of this very difficult subject treated with rare scholarly insight from a sympathetic albeit critical point of view. For a general survey of the views concerning Amida held by the various sects and of Amidism v. *Hōbōgirin*, Tokyo, Maison Franco-Japonaise, Fascicule I (A-Bombai). pp. 24—30, s. v. Amida.

(4) In several respects the Hinayanists might be more properly compared to the Jews in so far as they refuse to accept the divinity of Christ. The authority upon which the canonical books of Buddhism rests- i. e. that of the Councils does not, however, correspond to that of the Christian Church and its councils, nor do they claim to have been divinely inspired, even if they possessed in themselves miraculous properties-not attributed to the Holy Scriptures.

out reason called *symbolum fidei*.(5) This is equally true today in spite of the diversity between the tenets held by sects (*not* churches) called Christian because they believe in Christ in some form or other instead of Buddha or Mahomet, but not necessarily implying thereby acceptance of the fundamental dogmas of the Christian Catholic Church, whether Roman, English, Orthodox or Russian. It might further be added that the failure to make this important distinction has often led to misapprehension and to the establishment of untenable comparisons between Christianity and Buddhism. Heresies notwithstanding, the unity of Christianity was stronger probably in the days of Dante than it is today ; it does not appear however that one may say the same of Buddhism in the days of Eshin Sōzu (慧心僧都)

It is further important to stress that while the *Ōjō Yoshū* (往生要集) (like the *Divina Commedia*) expresses in a general way an important section of the religious faith of Genshin's (源信) time, which later through Hōnen (法然) and Shinran (親鸞) spread throughout Japan and greatly influenced Japanese art—it nevertheless represents the beliefs of a part of the Buddhist communion which were, in some respects, highly controversial. The poem of Dante on the contrary, for all its philosophy, expresses the beliefs shared (with very few exceptions) by all Christians, wherever they might be, and the faith by which they lived. These involved no *personal* opinion or inter-

(5) This profession of belief, variously interpreted at times, but never substantially altered, can hardly be compared, I think, with such fundamental Buddhistic tenets as: 'the f urfold noble truths' (四聖諦), 'the eightfold path' (八聖道), 'the twelvefold chain of causation' (十二因緣), and 'the three sacred treasures' (三寶) great indeed though these be.

pretation, but were based upon revelation and as such considered irrefragable truths affecting the life of the individual and the community and definitely implying a universal view of reality and world-order Controversies such as those between the Nominalists and the Realists might divide theologians and philosophers but they could and did not destroy the unity of the Church as a spiritual body whose faith did not admit either of adaptation or of compromise Dr Suzuki and other eminent Buddhist scholars, Eastern as well as Western, have often referred to Paulinism, Augustinianism and Thomism as evidences of the gradual evolution of Christianity comparable to that achieved by Mahayana Buddhism. But a closer examination will show clearly that whatever stages Christianity may have passed through at the time of the great heresies, the fundamental dogmas concerning the mysteries of the Faith—Redemption, Incarnation and the Trinity—were strictly preserved, defined, finding their highest literary expression for all time in the *Divina Commedia.* (6)

---

(6) Much stress has been laid upon the relative tolerance shown by the Buddhist sects towards one another and towards other religions which has been favourably compared with such evidences of religious intolerance as the Albigensian crusade, the Inquisition and the Wars of Religion, that have been pointed out as being inconsistent with the teachings of Christ. This is not the place to discuss the question, I should like however to point out that these, however one may judge them by our present-day standards, were the logical outcome of the sincere desire to defend the unity of the Christian Faith, for which the Scriptures themselves could afford justification. Christ preached the Gospel of non-resistance, and taught that evil should be overcome by good, but though He was merciful towards sinners, He was never tolerant where essentials were concerned. Christianity could not and cannot admit the attitude assumed by modernists towards the fundamental truths upon which Faith rests, hence the firm attitude assumed by the Church towards schisms in every form, which has never varied in quality however much it may have in degree.

What has been said needs emphasizing—I believe—if one is to understand Dante not only in relation to his age, but to the faith out of which the poetry of the *Commedia* itself springs. He was not, it is true, a professional theologian and much of the theological matter of the poem makes hard reading and seems sometimes to detract from the artistic value of the work as a whole. But it is impossible to separate Dante's poetry from his beliefs : to do so, or to attempt to explain them away as being merely due to the particular temper of his age, is to destroy the unity of the poem and to misunderstand it. Dante believed what he professed and it inspired him to write the *Divina Commedia*, which is the supreme witness to his faith as a Christian and to his genius as a poet. The complicated symbolism and the cosmological framework of the *Commedia* are part of his inspiration ; the three kingdoms beyond the grave are seen, experienced and realized by the poet and rende ed sensible to the mind and eye of the reader. It would therefore be unwise, I think, to see in his great vision an example of that process of 'Rationalization and Moralization' by which Prof. Otto seeks to explain 'the idea of the Holy' found in the higher religions.

What has just been said above applies in part to the *Ōjō Yoshū* to Asvagosha's *Awakening of Faith* (*Daijōkishinron* 大乗起信論) and to the great Mahayana sutras.(7) But it must also be evident that a wide divergence of purpose, as well as in the nature of these visions of the otherworld exists between

---

(7) e. g. *Muryojukyô* (無量壽經); *Jodosambukyô* (浄土三部經); *Kammuryojubutsukyô* (觀無量壽佛經); *Kongôhannyaharamitsukyô* (金剛般若波羅密經).

them and the *Divina Commedia*, which it is both interesting and important to study. Genshin and Dante portray the otherworld in accordance with the current beliefs of their time, but while those of the former (at least in so far as the Pure Land is concerned) were limited to a section of Buddhists, those of Dante—as observed above—were held by *all* Catholic Christians Each represents a different phase of eschatological development, which in Dante reaches its apex in that it synthetizes, as it were, the whole Western mediaeval Christian conception of Eternal life and human destiny. The one is a devotional tract, the other is the vision of a poet, and is part of the body of the visionary, but not apocalyptic literature of the Middle Ages, to which, however, it is in some respects related Dante does not set out, primarily, to instruct his readers upon the Mysteries of the Christian Faith, with which they were all acquainted. The teachings contained in the *Commedia* flow naturally from the treatment and the subject. However closely it follows Catholic dogma it is essentially the work of a layman and of a poet whose high ethical purpose inspires and illumines his poetry which, in its turn, transfigures the matter treated. Even in the most abstruse passages of the Paradiso, Poetry preserves its autonomy. The imagery and the similes are never used as mere decoration or to attract the reader but as an aid to his understanding of truth, which is the poet's highest aim. The *Commedia* does not teach man *how* to avoid the pains of Hell and how to achieve Heaven and so escape from life and death and the chain of causation. This has an important bearing upon the actual imaginative structure of the otherworld Here I shall only observe that the treatment of crime and punishment

in Eshin Sozu and other writers is not systematic and seems to lack any clear ethical basis. In this respect while differing sensibly from the *Divine Comedy*, the *Ōjô Yoshû* comes closer to such mediaeval visions as that of Tundalus, *St. Patrick's Purgatory* and the *Navigatio Sancti Brendani* and to the descriptions of hell found in countless mediaeval homilies and poems. The differences are even more marked in the Paradiso, to which the descriptions of Amida's Western Paradise in the Sutras mentioned above and of paradise in the *Mahâ-Sudassana Sutta* offer no parallel in spite (or perhaps because) of their luxuriant diction. Life and Death in themselves are not evils, nor is suffering; the triumph over them is not the result of a realization of their illusory character but of the purposes of the Eternal Father, and obedience to His will. The supreme beatitude thus is not only the contemplation of the Father—to see Him as He is—but the spontaneous and willing identification of the individual will with His: 'Ne la Sua volontade è nostra pace'

While it is clear that not everyone was capable of conceiving a vision of heaven comparable to that of Dante, much less of giving it artistic expression, the basic conception and the beliefs that gave rise to it, were familiar to all who shared the Christian Faith and were a source of universal nspiration to writers and painters who brought religion into everyday life, with the church for its centre and the mysteries of the faith as its dominant theme. Dogmatic truths summarized and expressed an individual as well as a collective aspiration that was its natural and spontaneous affirmation of unshakeable belief in the Divinity who cares for man and shapes his ends as well as those of the

whole universe, in accordance with the inscrutable purposes of the Divine Wisdom.

It is this divine purposiveness of creation as well as the feeling of a direct personal relationship with God, through Jesus Christ and, in a different degree, through Our Lady and the Communion of Saints, that gives the Art of the Middle Ages one of its most unique qualities—faith and unity of aim, whatever the medium of expression chosen: painting, sculpture, architecture, poetry or music It is perhaps in this respect, i. e belief in the presence of the Divine in all the Universe, that some of the Mahayana sects such as Tendai and Nichiren seem to approach most closely to Christianity especially in the *Hokkekyō* where Buddha reveals himself *sub specie aeternitatis* as "the Eternal, Omniscient, Omnipresent, Omnipotent Buddha, creator—destroyer, recreator of all worlds, every world a lotus rising from the waters to flower, shed its fragrance and die, only that fresh flowers may eternally spring"(8); present in all things, all-pervading, immanent and transcendent. But on closer examination the resemblance is shown to be more apparent than real. In so far as the earlier Buddhist tradition is concerned it is a novelty and seems to be sometimes at variance with the teachings of the older Sutras and such a conception of Buddha, whatever its justification, does not appear in Genshin

(8) Soothill, *op. cit.* p. 13. The writer also draws attention in the Introduction (p. 44 f) to the likeness of the doctrine of this sutra-in stressing anew personal relationship between man and the universe, and a 'personal all-loving Buddha father'-with that of the Four Gospels and the Johannine Epistles. The apocalyptic vision of the Lotus, in its attempt to convey the suprasensible by words and images presents certain analogies with the Paradise of Dante.

and the earlier preachers of the Pure Land doctrine. Be this as it may the 'personal' idea of divinity is of the greatest importance to the Christian Faith and to Christian art, no less than to those of Buddhism.(9) Upon the Redemption of Man through the sacrifice on the Cross the whole structure of Christianity rests, and it is the pivot around which the *Divina Commedia* revolves. The belief in salvation through Christ has, to some extent, a counterpart in the faith in the saving power of Amida-Nyorai's great vow, held by most of the Mahayana sects in Japan. Here too, however, there are some essential differences. The historical Gautama Buddha, whatever his previous existences and however miraculous his birth, was not unique but a man, born of mortal parents, who was *later* deified, *after* his death—the latter taking place through natural causes but according to some accounts, somewhat different from that of an ordinary mortal. The exceptional powers and qualities attributed to him were subsequent additions, although his superiority was universally recognized if not equally admitted by all Buddhists. In theory the Western Paradise, or Nirvana, may be ultimately achieved by all human beings either through the merits of Amida's vow or through realizing the 'four noble truths, and following the 'eightfold path' and the methods taught by Sakyamuni. For the Christian instead, salvation is only attainable *through* Christ himself

(9) An important instance of this, in respect of Buddhism is afforded by the earliest representations of Buddha in human form discovered in Northern India which clearly show the influence of Hellenistic sculpture. In the West it was only after the breaking down of the stereotyped Byzantine (mosaic) tradition that that religious art developed under the influence of the personal conception of the Divinity.

not only through the practise of the Christian virtues. Jesus Christ, the only begotten son of God, "born of the Father before all time, God of God, begotten not made, consubstantial with the Father by whom all things were made. Who for us men and for our salvation descended from heaven and was incarnate of the Holy Ghost of the Virgin Mary and was made man." After His death and burial and descent into Hell, He rose on the third day "according to the Scriptures and ascended into Heaven and sitteth on the right hand of the Father, and will come again in glory to judge the quick and the dead, whose kingdom shall have no end" Perfect God, therefore as well as perfect man, possessing in a supreme degree human and divine qualities inherent in Him, not added as the result of an evolutionary process. These are articles of belief which must be and are held by every Christian together with faith in the power of Baptism to remit sin and in the resurrection of the dead and the life of the world to come. This is the substance of the Christian Faith, the *raison d'etre* of human life which gives it significance and purpose.

The way of salvation shown and prepared by Christ and the vision He opens out before humanity is at once immeasurably profound and yet simple. It appeals to the unlearned and the child as well as to the wise, but it cannot be grasped in all its fullness except through the grace given to man in the Sacraments.(10) It is the gift of the Divine Mercy to all who believe and trust in God, but it goes beyond the highest conceptions of Amidism in that it is not mainly the means whereby

(10) According to the Shinshū Catechism faith in Amida, is not due to our own efforts but is his gift.

we may escape the evils of life and death and finally reach the promised land there to enter upon the career of a Bodhissatva (exalted as that ideal is), but a free offering of gratitude and love to Christ, our great 'Elder Brother' in God, and through Him to God. This theme has been variously developed and expounded as the Christian Church grew and spread, according to the requirements of the people to whom the Gospel was preached, but the basic facts of Faith, as may be seen from the works of the Fathers of the Eastern and Western Churches, remained always unchanged, nor did the personality of Christ (like that of the Buddha) undergo a sea-change, since nothing could be further added to its richness or rareness. 'Be ye perfect even as your Father in Heaven is perfect' is a command as well as an exhortation. It cannot be considered as identical with the *jō-butsu* (成佛) view of enlightenment which implies the realization by Gotama that all living things-men, animals, trees and plants-can become Buddhas In the free striving after this perfection that may be attained only through perfect and voluntary obedience to His will, the whole of life consists. The value of the Atonement is not negative but active ; it not only transcends the desire for personal salvation for its own sake, but it is the fulfilment of our work upon earth and beyond, even more than the reward of our efforts. The beatific vision requires and implies the complete and active identification of the will of Man with that of God, and the ultimate triumph over, though not the annihilation of the self.

It is not too much to say that without the Incarnation and the Redemption, Man's life would lose its main purpose and Christianity would not exist. Through it Man was renewed and

able to start anew and regain the innocence which he had lost through the Fall of Adam— "as in Adam all die, so in Christ all are made alive". The whole of the Old Testament announces, prepares and leads up to the greatest moment in the history of humanity, the sacrifice on Calvary-the katharsis of a sublime drama, not at all, however, in the sense in which the 'great enlightenment' (*Daibodai* 大菩提) is considered as being the ultimate result of the work accomplished by the Buddha in countless previous existences.[11] Neither can the 'original vow' of Amida even in its highest significance, be considered as parallel to the Atonement, nor can Jesus Christ (as the second person of the trinity) be viewed as corresponding to the Nirmâna-kâya. (*Ojin* 應身)

The point needs stressing since it is the keystone not only of the Christian faith but of Christian art[12] and pervades and inspires the latter in a manner and to a degree not found, I think, at least in Sinico-Japanese Buddhist art or literature.
This is meant in no way to imply that Buddhist religious art in the Far East is inferior to Christian art *qua* art or religious feeling; such a view would be obviously fantastic, nevertheless there are profound differences between them that cannot be accounted for satisfactorily solely by divergences of belief or of

(11) It may not be out of place to draw attention here to the fact that the Old Law of Moses (like the *O. T.*) had a figurative and representational character-a shadow a figure, an antitype, a simile of the New Law of Christ-as St. Paul calls it. This New Law completed and superseded the Old, in that it was a revelation of the Real, and had the Gospel as its code. The new and the old seem to stand somewhat in the same relation as Buddhism to Brahmanism.
(12) Here as elsewhere, unless specifically stated, I refer to art in general, including architecture and poetry as well as painting and sculpture.

technique and procedure. To understand them, however, it is necessary to postulate a radical divergence in the respective character of religious experience—Buddhist and Christian—as well as of attitude towards religion. The problem is exceedingly difficult and controversial and would require separate treatment. I shall limit myself here to drawing attention to it and to putting down, albeit tentatively, the result of some of my observations, based upon the study of works of Buddhist inspiration (mainly Japanese or Chinese) and upon Western works (prevalently Italian) produced during the period preceding the Renaissance in Italy and, in Japan, approximately down to the Ashikaga period.

It is reasonable to suggest that the 'idea of the Holy' as Prof. Otto has called it in his great work, in other words religious feeling, at this stage in Japan and China seems when compared with that of the West, to be freer from dogma or, to put it more accurately, that the purely theological and dogmatic aspect of Buddhism is somewhat alien to the Japanese spirit. The fundamental tenets of Buddhism in general—however modified in Japan—appear largely to be a matter of reason rather than of faith or revelation. Even Zen mysticism so-called, so far as I am able to understand it, is preeminently intellectual, and the 'mental cataclysm' known as *satori* (Chinese: wu- 悟) or enlightenment, while being an intuitive as opposed to a logical understanding of the nature of things, seems more intellectual than metaphysical in its very abstraction—a realization, I would like to call it—of a four-dimensional world. Be that as it may, Japanese mysticism as an aspect of religious experience—when critically examined—is very different from that of St. Francis or of St. John of Cross, as well as from that im licit in the

Indian systems of Sankara and Râmânuja.(13) The vast horizons of life opened out in Indian Buddhism and in the *Vedânta* as well as by Christianity, and the place of man, in the scheme of the universe, appears to be, in such systems, very different from that allotted to him in Japanese Buddhism or in the religious thought and aspirations of the Japanese people The latter might indeed offer a good example of Otto's rationalization and moralization of the *numinous* already referred to. The difference, as Dr. Streeter has so admirably said when speaking of the inaugural Vision of Isaiah as illustrating "the essential moment in the realisation of the distinction between the authentic Holy, and all the other things which are classed by Otto along with it as 'numinous' "-lies in the fact that "God is emotionally realised as THAT which is unutterably *more* than anything man can conceive, and yet as THAT in which all that we call moral, rational, beautiful has its source and meaning ·The point of Christianity is that what we worship is not an *Unknown* God · Worship, the recognition from the bottom of the soul of a supra-rational element in Reality, is of the essence of religion."(14) The almost complete absence of such elements in Japanese Buddhism, may be perhaps in part explained by the marked characteristic, recently pointed out, of the Japanese of the age of Genshin and subsequently "that they were not tortured by a sense of sin, nor racked by a desire to solve the problem of

---

(13) Dr. Rudolf Otto in *Mysticism East and West* draws some interesting parallels between the mysticism of Sankara and that of Meister Eckhart. Of greater value is Fr. Peter Johannes illuminating study of the *Vedânta* and its analogy with Thomism: *Vers le Christ par le Vedânta*. I. Sankara et Ramanuja. Louvain, 1932. cch. ix ff.

(14) Streeter, *op. cit.*, Appendix II, pp 316 f. 324, 325.

Good and Evil. There was little in them···of that restless spirit of doubt and enquiry which has driven other peoples either to seek refuge in quietism or to escape from their thoughts by incessant activity. They were impressionable and lively, but without metaphysical bent. Being impressionable, they were quick to feel the sorrows and delusions of earthly life, readily believing those Buddhist preachers who taught its emptiness and dwelt on the terrors of hell and the glories of Paradise. Being lively, they could live happily in the moment, and pass with an easy reaction from fear of suffering to hope of bliss."(15)

While the earlier Buddhist sects in Japan seem to have made religion largely the prerogative of a chosen few willing or able to renounce the world and to practice austerities, the Pure-Land teachings went perhaps to the opposite extreme, in preaching salvation for all through the merits of *Nembutsu*. Both attitudes have their analogies in the West, but in both cases, the final aim of salvation—whether through one's own or another's efforts—was clearly practical and somewhat coloured by intellectualistically selfish motives, and implied at the same time religious attitude towards life which, if not negative and pessimistic as that of Indian Buddhism, in thery regarded life as a curse and the source of evil. The element of love and gratitude to and of worship of man's creator to be expressed in making one's life here below an offering to Him ; and the conception of service to one's fellow sojourners upon this earth, not merely because by so doing merit may be acquired and rebirth in the Western Paradise or other Buddha-lands hastened—(the higher ideal of Bodhisatvahood was too remote to affect the ordinary man), but because every crea-

(15) G. B Sansom, *Japan-A cultural interpretation.* London, 1931. p. 238.

ture is a child of the same Father,—seem conspicuously lacking, The belief held by some of the presence of a Buddha in every grain of sand and throughout creation, though it does make for a greater respect for life and inculcates mercy and pity is, on the lowest plane, in the nature of a taboo and, at the highest level, intellectual or aesthetic though not essentially religious. It may touch the imagination and the mind but, generally speaking, it does not seem to have touched the heart or the soul : on the other hand in no country has the physical world and its aspects impinged more upon the life, ideals and customs of a people as a whole, or in so unique a manner which, for lack of a better term, I can only attempt to describe as psycho-physical. Genshin, Hōnen, Shinran and some of the great Zennist monks might be adduced as partially contradicting what I have just said. Doubtlessly their lives and sayings bear witness to the depth and sincerity of their faith in Buddha and to their desire to save humanity, yet they all seem to lack somehow the supreme quality that radiates from St. Francis, St. Bernard, St. Bonaventure and St. John of the Cross, from Jacopone da Todi and St. Thomas Aquinas as well as from countless humbler men and women unknown to fame—a burning love of God and of His creatures.

Inspired as the picture of Amida descending from Paradise to welcome the believer, by Genshin and that of Amida and the XXV Bodhissatvas preserved in the Raikôji temple, they do not quite convey that overwhelming sense of ecstatic elevation of the soul to God that is characteristic of Giotto or Fra Angelico and other lesser artists. The same is also true of the description of the 'Pleasures of Being Welcomed by Many Saints' in the same

author's *Ōjô Yoshû* (Gokuraku Paradise, ch. I).(16) Generally speaking the marvellous *kakemono* or pictures, Japanese and Chinese, portraying visions of Gokuraku and Buddha-lands, (allowing for inherent differences due to tradition, technique and subject) for all their elaborate and exquisite workmanship seem to miss the peculiar combination of human and spiritual qualities found in the Italian Quattrocento painters. If one sets Dante's description of the Earthly Paradise in the Purgatorio and the vision in *Pearl* beside those in the *Ojô Yoshû* or in the sutras, although in every case one is conscious that the writers are trying to convey in words what can be suggested rather than described, the profusion of detail derived from the texts in the latter, whatever their symbolical meaning, somehow stand between the reader and the very spiritual emotion they wish to induce, perhaps through its appeal to heightened senses.(17) The *Hokkekyô*, however, may perhaps be excepted; indeed its universal

(16) I have availed myself here and elsewhere of Dr. A. K. Reischauer's translation of the first two divisions of the *Ojô Yoshû* (generally known and read) published in *Trs. of the Asiatic Society of Japan*, second series, vol. vii, Dec 1930, pp. 16—97.

(17) A similar criticism, to a lesser extent, might also be made as regards some of the orthodox descriptions of the Heavenly Jerusalem in homiletic works, based upon the *Old Testament* and the *Apocalypse* in which the oriental luxuriance of imagery found in Jewish literature obtrudes itself but afterwards is toned down and modified by contact with the classical West. The process, it might be added, has some interesting analogies with the aesthetic modifications undergone by Indian Buddhistic inspiration in China and Japan and suggests that some of the spiritual deficiencies noted above in connection with the graphic or literary representations of Paradise are due perhaps to the fact that the Western Paradise seems to be a development and adaptation of some of the Brahmanic conceptions of the heavenly regions the alien symbolism of which was never properly assimilated, thus failing to act as an aesthetic stimulus as was the case in the West. The portrayal of Hell, instead, while being to some extent determined by fixed themes, gave greater scope to the realistic and grotesque qualities of the Japanese genius. I shall have occasion to deal with this subject at greater length elsewhere.

appeal to all Buddhists in Japan and its influence upon the arts, is not unconnected with the fact that it possesses a spiritual quality which transcends and fires the imagery, raising it above the level of beautiful decoration or traditional symbolism, and offers something higher and greater than any inducement to follow the way of salvation by offering the believer a life of eternal pleasure in a wonderful fairyland. I may perhaps seem to have unduly stressed these points, but one of the ultimate tests of the vitality, reality and value of religious beliefs in the other-world is to be found in the degree and manner in which they inspire the arts, not by the production of works primarily designed as objects of *cultus* but as the expression of the Idea of the Holy profoundly intuited by the artist, capable of raising the soul as well as the mind of man to the contemplation of God.

This ascensional power of the arts is nowhere more apparent than in Christian architecture—Romanic and Byzantine—and supremely so in Gothic, as seen in the great cathedrals and abbeys of the West not less than in the smaller and more modest village churches. Their symbolism is at once simple and profound, and accessible to all, just as the rites performed in them. They are the House of God and that of prayer, but above all of communion, the focal centre of the life of the community, a spontaneous act of worship, built by the people and for the people. Nor is it without significance that there is no Catholic church that has not a steeple, however modest, and at least a bell-tower that raises its head upwards to Heaven, crowned by a cross, the symbol of that *sursum corda* which is at the very root of Christian Faith, the raising up of the hands and the heart to the Creator of all things, in prayer and

thanksgiving, which links Christ to Man and Man to Christ. The symbolism of the pagoda, sublime as it is, does not offer an adequate analogy. In no respect, also, does the difference of attitude towards religion and of religious belief between Christianity and Buddhism become, I think, so evident as in the temples of the latter.

Such a difference, it may at once be remarked, is rather one of quality than of degree, the nature of which may perhaps be appreciated best by putting oneself the question : is the spirit of the place 'numinous' or 'divine'-*numen inest anne Deus*? There can be no doubt that Buddhist temples no less than Christian churches awaken emotions of awe and a feeling that *something* is there that lends the place significance and cannot be accounted for by emotional or aesthetic reaction to the intrinsic beauty of the buildings and or of their natural surroundings. A proof of this that such a feeling is experienced in the most beautiful of the Nara or Kyôtô temples and before the simple and austere Shintô shrines, such as the unforgettable ones of Ise, yet not—in my own experience—to the same degree in the popular Chinese Buddhist temples, however beautifully and elaborately decorated they may be. Dr. Anezaki once wrote (in connection with the Tôdaiji at Nara, which he miscalls a 'Central Cathedral', and the magnificent thanksgiving services there held in 749) "the full significance of Buddhist art cannot be appreciated *apart* from the rituals ·a temple thrown open to the curiosity of visitors is but a deserted house *devoid of life* The real beauty of a Gothic cathedral cannot be entirely disassociated from incense, lights and church music ; nor is it otherwise with Buddhist architecture and sculpture. They help to complete a

synthesis of beauty corresponding to the ideal of universal communion."[18] It would be highly presumptuous to attempt to controvert the statement of so eminent an authority, on the other hand and in spite of the qualifications, it seems to me that to say a temple is 'devoid of life' when a service is not being held in it and that ritual, as such, is an integral part of Buddhist art, is tantamount to denying the presence of any spiritual quality to a place of worship and reducing it to the level of a mere structure built for ritualistic uses and to house statues or pictures of divinities—in other words, idols. This is the impression I have received from such Chinese temples as I have seen, but not from the Japanese. Be that as it may, the parallel certainly does not hold good for all Catholic and some Christian churches. Indeed, all unconsciously, Anezaki has admirably expressed the difference between Buddhist temples and Christian churches.

The latter whether or not a service happens to be in progress, are always the House of God, where His spirit indwells, which does not mean, however, as some are inclined to think, that one may not equally worship Him in temples 'not built with hands': in the burning bush, in the silence of deep valleys and of mountain heights as in the roar of the city traffic. The two—the church and the services—are complementary but it is the real as well as spiritual presence of Christ the Son of God in the Sacrament upon the altar, which above all differentiates the Catholic from the non-Catholic churches and the Buddhist temples, and engenders the feeling and the knowledge that *Deus inest* and that the place is holy, a feeling which, allowing for differences,

(18) M. Anezaki, *Buddhist Art in its relation to Buddhist Ideals*. Boston, 1915, p. 26.

finds a counterpart in the sense of the presence of a *numen tutelare* experienced before the great Shintô shrines. It is furthermore such a feeling that causes even the hardened sightseer and the sceptic to bare his head and lower his voice, or in some cases deliberately to behave outrageously in order to defy that very 'awkwardness', due neither wholly to superstition nor yet to intellectual or aesthetic emotion. But for the Catholic a church conveys also something more: a sense of timeless reality, of communion with the Church Militant and Triumphant and, not least, a sense of home. Some Christian visitors to Rome or other places in Latin countries have at times been shocked at the familiar way in which even St. Peter's is treated by the peasants from the country, only because they fail to understand what I have just said and think, wrongly, of the courts of the Temple at Jerusalem. The feeling, I would rather call it an experience, I have tried to formulate in words is wholly independent of art, philosophy or even theology. As to the ritual: the Office and the Mass are often rendered more impressive by the singing and the beauty of the building and are adapted to the celebration of the great Mystery, but these are accidentals not essentials, indeed they lose their efficacy in proportion as they become an end to themselves instead of being means to an end. It is the spirit that underlies it all that gives it significance and beauty, and this spirit—in so far as it is a lively reality and not mere emotion, whatever its nature, is found equally in the humblest village church with no artistic pretensions as in the most magnificent of cathedrals. Stripped of externals, the spirit of the Christian church in its architectural symbolism and through its ritual commemorates and exalts the message of the Cross:

that Christ was and is the Victim and the Saviour of Mankind. Statues and pictures are there to remind the faithful of it and of the universal communion between God and His creation, which is *not* an 'ideal' but very much of a concrete reality and a part of common, everyday life which, of its very nature is *beautiful and good because* it is the work of God. Sin and suffering and death are realities, and they are constantly placed before our eyes, but the Love and Mercy of God is a still greater one, as Christ himself practised and taught. Great and impressive or beautiful as are the temples raised to Buddha in his various aspects throughout Japan, and the statues of him and of the Bodhissatvas, they rarely compare, I feel, at least from the Western religious point of view, with the monuments which the West has inherited, for instance, from the Age of Faith. There is just something different, something absent, so intangible that it is all but impossible to find words for it—the raising of this world to Heaven and the presence of God upon earth of which the church is the symbol and Jesus Christ the mediator.

Reference has already been made above to the importance of the human element in Christianity, as represented by its founder-Jesus Christ, as a source of artistic and literary inspiration which cannot be divorced from the divine. It is very significant that humanity should have been transfigured by one who is the second Person of the Trinity but also the Man of Sorrows, the son of a carpenter albeit a descendant of the royal family of David. The greater as well as the lesser events of His life and ministry are of the greatest importance, not merely as biographical details but as stages in the revelation of His divine mission: the salvation of the world through Him in order that all "might

have life, and that they might have it more abundantly". On the other hand the real significance and importance of the Buddha "is not in his *human individuality*, but in his teaching, which transcends the limits of personality".(19) The differences become still more apparent if we set the Gospel accounts of the life of Christ side by side with those of the life of Buddha in Asvagosha's *Buddhakarita* (*Butsushogyôsan* 佛所行讚) and the references to him in the Jâtâka (*Honshôkyô* 本生經) and the *Lalita Vistara* (*Fuyôkyô* 普曜經). The keynote of the former is simplicity, obedience and love; there is nothing spectacular about the miracles performed, indeed He always steadily refuses-even at the very end-to show His divine powers, to impress or convert or save Himself. The changed physical nature of the Saviour after the Resurrection is intuited rather than made apparent by signs and wonders as in the case of Buddha after the Enlightenment. None who came into close contact with Him and followed Him in spirit and in truth doubted His divinity or thought it necessary afterwards to confirm it by attributing to Him the possession of 'thirtytwo marks of a great man' (三十二相) or 'ten faculties' (十力), or 'four fearlessnesses' (四無畏) or of 'emananting light-rays' (光明遍照). The figure of Christ as reconstructed from the canonical books is none the less moving and real in its combination of strength and tenderness for being suggested rather than described in detail. The imagination of the painter as of the sculptor (outside the Byzantine tradition) had free play and gradually evolved a portrait traditional if you will, but never rigid, in which the symbolical

(19) Eliot, *op. cit.*, p. 46.

elements are successfully assimilated and which became a part of the life of the people, something far more than an object of *cultus* Christ-Jesus himself has never been considered by his followers as a miracleworking superman as seems to have been the case with Buddha in his many forms. Strangely enough it would appear that Amidism, in forging new links between man and the Buddha through its deification of him, caused his worshippers to forget in some measure that he once trod this earth, while his human attributes were concentrated in Jizô and Kwannon who—certainly in Japan—have come to play a more active, personal part in the life of mortals. Thus the problem of representing the dual nature—human and divine—did not arise for the Buddhist as it did for the Christian artist except in the case of those greater Bodhissatvas who have inspired some of the finest works of Japanese sculpture.

Unlike what happened to Christ in the art of the West, the life of the Buddha seems not to have appealed greatly to the Japanese. This is all the more curious in view of the naturalistic elements found in the *Jatakas* with their gracious legends in which animals and nature in general play so important a part. So far as I am aware there is nothing in Japan comparable to the reliefs of the celebrated *stupa* of Boroboedoer, to the Ghandara sculpture, the carvings of the gateway at Sanchi or those found on some of the Chinese Buddhist Memorial *stelae* of the VIth century. Even the Enlightenment and the *paranirvana* do not appear to have inspired them as the visions of the Paradise of Amida or of Vairocana (*Dainichi* 大日), already referred to above. Paradoxically, yet not wholly without reason,(20) the

(20) e. g. to some extent the influence of the Shintō conception of the *Kami*.

works of painting or poetry, in which a truly religious sense seems most present (using the adjective in its wider meaning), are those which have no direct connection with the Buddha, as in some of the *Kakemono* of the Ashikaga period. In view of the foregoing, it is not unreasonable to suggest that, in spite of appearances to the contrary, religion was to a great extent limited to teaching a way of personal salvation, and eminently individualistic rather than collective in character, above all not an essential part of the everyday life of the community at large *except* on stated occasions, at least not in the way that it dominated the period under consideration in the West.(21) When it did so we find a strange inverse movement towards realism as evidenced in the secularization of Buddhist art due, largely, to the influence of Zen, towards the end of the XVth century and carried to extremes by the *genre* painters of the Ukiyo-é school, such as in Shunshô Katsukawa's travesty of Fûgen as a courtesan, and the representation of Kwannon as a maid coming from market with a basket of fish.(22) Some such realistic elements are found

(21) The pilgrimage habit which has always been such a marked feature of Japanese life, whether for strictly devotional or for more general purposes, only rarely I think can be adduced as a form of an actively collective religious observance even if it does lead to great manifestations of collective worship The daily sacrifice of the Mass offered for the faithful and by the faithful everyday throughout the Catholic world and the insistence of the Catholic Church on the special observance by all of Sundays and Holy Days—much more comprehensive and more strictly enforced in the earlier ages than at present—is not found in Buddhism. It is certainly true that among the lower classes in the West religion was often looked upon as an insurance against the future state, but it was more than that as well and played a part, not merely formal, in their life materially and spiritually

(22) cf. Anezaki, *op. cit.* p. 58 ff, and Suzuki s *Essays in Zen Buddhism* IIIrd series, in which the motives of this secularization are discussed in detail.

in Christian mediaeval drama, painting and sculpture, as for instance in the *predelle* of altar pieces or in the lesser figures of religious pictures, but they never touch the greater saints much less Christ or the Blessed Virgin Mary. And even in the *secento* when art and poetry in Italy often become frankly realistic and sensual, the divine identity is always preserved.(23)

It is a fact worthy of note that as in the case of early Buddhism so too in that of Christianity, there seems to have been considerable reluctance to represent Christ in human form.(24) The Byzantine mosaics and to a certain extent the primitive painters who were influenced by them, tried to convey his superhuman rather than his human qualities following closely, as in the case of Shingon art, the prescribed formulas of hieratic symbolism. The new religion which continued for some time to preserve Jewish characteristics, was at the same time in violent reaction against the excessive materialism of the Pagan cults and to the idolatrous forms of their rituals. But it seems that contact with the Hellenistic world gradually caused a change to

---

The learned author has also some interesting remarks upon the influence of Zen upon Japanese colour and painting, somewhat vitiated, however, by his apparent failure to understand the innerliness of Western art, religious and otherwise and by his over-literary approach to painting.

(23) Much of the alleged pagan spirit of Renaissance Christian art, literature and even religion was a direct result of the attempt to combine Platonic idealism and the classic exaltation of human beauty and of man's place in the universe, and not inherently opposed to the spirit of Christianity albeit dangerous when it was exaggerated and sought to overemphasize the material at the expense of the spiritual nature of man and of his ultimate purpose.

(24) This gave rise to the famous politico-religious controversy among the Byzantine Greeks concerning the use of images in churches (740—843) that ended with the defeat of the Iconoclasts.

take place in the Christian attitude towards beauty, especially that of the human form, accompanied by a higher and more spiritual conception of the latter (in agreement with the teachings of the New Testament) as the 'temple of the Holy Ghost' Christ was perfect man, physically as well as spiritually, and it was natural that painters and sculptors as well as poets should wish to represent these qualities by creating 'an ideal type that should express at once the supreme beauty and dignitv of humanity and through it convey the sense of divinity. The importance of this as a humanising influence, ethical as wel as social, need hardly be emphasized. It might perhaps seem, at first sight, that this is in direct contradiction with the attitude towards the body assumed by ascetics and by some of the early Fathers of the Church, which appears not to differ substantially from that of the Buddhists of all sects. Actually it is not so inasmuch as the reasons prompting it were different. Asceticism was preached not only as a counterblast to a materialistic view of life, but as a practice by means of which the body—not evil in itself—might be kept holy and so fulfill the purpose for which it was created by God—to glorify Him. Over-indulgence of the senses made the body an unruly member, and opened a way for evil to come in and so use man as an instrument against God. Sin carries with it the death of the soul because it is treason towards the Master and ingratitude towards the Saviour; it reduces man to something less even than a brutish beast and ultimately condemns him to Hell, the least of whose torments is being eternally cut off from the sight of God, an outcast from Him "in whom we live and move and have our being", the source of all life. On the positive side all the human facu ies

and senses can, if rightly directed, contribute to the process of salvation through the mystery of suffering which, however much the result of our own acts, is necessary and purposive as Christ showed by his life and death. By the Christian it is viewed indeed as a privilege, not only as a negative opportunity of following the Way of the Cross. It is in the realisation of the sublime truth of suffering—the essence of and implications of which lead to an attitude towards life very different from that preached by the Buddha—that the true significance of Purgatory lies. And that too is the secret of the unquenchable hope and ardour which inflames the souls in Dante's *Purgatorio*. It is the spirit of all the great saints from St. Paul to St. Francis of Assisi, and of the Church Militant, which alone can make of this world a Paradise. Transitory as this life is recognised to be, it is nevertheless not an illusion that must be overcome, rather the beginning of a great adventure that from this earth leads to Heaven : not a cause for sorrow but for rejoicing-the great *palaestra* of humanity once trod by God himself but where the Holy Spirit is ever present and where the body of Christ actually and mystically dwells. In one sense Heaven is the antithesis of Earth ; like Hell it is out of time and, like Nirvana, a state not a place. It is the complete fulfilment of man's purpose, the realization of his individuality to the full through and in God. Will still exists but it is no longer conditioned and is fully and perfectly active. Effortless activity is indeed one of the characteristics of the realm of pure spirit not however a formless abstraction but where, on the contrary, every human and divine faculty are present in essence, and life is *sub specie aeternitatis.*

In the above pages I have tried to give a brief survey of

essential Christian beliefs in particular of those which, in my opinion, form the base upon which Christian eschatology rests and which, at the same time, are of importance for the comparative study of the representation—literary and graphic or plastic—of Buddhist and Christian conceptions of the otherworld. It will be at once evident that these beliefs imply and are enclosed within a cosmological and cosmogonic framework profoundly different. Without attempting to describe it in detail, still less to venture into the maze of often conflicting views as to the correct meaning to be given to the doctrine of *anâtta* and of the real self (*nyoraizô* 如來藏), or the true nature of Nirvana and its position as regards the Western Paradise of Amida or of the other great Buddhas as the ultimate goal of man's salvation, it is possible to trace the principal views of the otherworld held by the two religions, preparatory to a subsequent detailed study of some of the outstanding works of art they have inspired.

The Christian conception of the cosmic framework of the universe is synthetized by Thomas Aquinas whose doctrines (in so far as the astronomic structure of the heavens is concerned) were mainly based upon the Ptolemaic system and served as the foundation for Dante's spatial arrangement of the three realms. As compared with Buddhist cosmology it appears remarkably simple though not less vast for omitting to take cognizance of other world-systems outside that to which Man belongs. In practice the Buddhist notion of unlimited worlds, repetitions of our own, does not seem to have substantially affected ordinary life either spiritually, ethically or even intellectually.
The most important difference lies in the fact that, in Dante's day and for some time after, the Earth was a sphere around

which it was believed the heavenly bodies revolved and the centre of the universe while, in the Buddhist system, the four great continents among which Jambûdvîpa (*Nanembudai* 南閻浮提) were situated beyond the outermost of the four great oceans enclosed within the seven rocky circles surrounding Mt. Mahameru (Shumisen 須彌山)—at the centre of the universe—and the chiliocosm represented as a cylinder, consisting of layers of different material (from the bottom upwards) space or ether. air or wind, water, gold or hard rock, and earth proper, the visible part, which is flat and covers the highest section.(25) In the Ptolemaic system instead, the lowest part is occupied by earth, then water, then the firmament and beyond that ether. Around the earth, inhabited by men, animals and plants, the sky with its constellations stretches like an arch, and represents the boundary line between the Earth and God, while being at the same time the means whereby the latter acts upon the former. The firmament in which—according to Pythagoras—there is perfect harmonious motion—became for the Christians a kingdom at once material and immaterial, inhabited by angels—pure intelligences, symbolical creatures : a realm in which faith and reason blend, and where the souls of men who are dead to the body and to sin also abide as spirits, preserving a semblance of human likeness in the spheres nearest to the earth but, in the higher becoming incorporeal essences. Dante represents the souls robed in light—"the only one of all earthly forms that remains, and

(25) cf. *Avatamsaka Sutra* (Chinese version): "The great earth rests on a water-circle, the water rests on wind, the wind rests on space; space is unsupported, the combined Karma of all sentient existence is the ground on which the kosmical system depends for its maintenance." Quoted by S. Beal, *Catena of Buddhist Scriptures from the Chinese*. London, 1871, p. 101.

is not real form but merely the appearance and illusion of the mortal eye. It is beatitude itself, the joy of the soul, assuming that aspect to the eyes of Dante "(26), and finding a more perfect expression in music and wordless song and in the intellectual vision of God. The astronomic structure of the heavens is too well-known to require anything more than a summary mention here for purposes of comparison with the Buddhistic classification. Round the sphere of the Earth, at the centre of the universe, like concentric, transparent spherical envelopes, revolve the seven planetary heavens, each with its planet, the one nearest the Earth being the Moon which together with Mercury and Venus, constitutes the lower region of Heaven ; the middle region is formed by the Sun, Mars, Jupiter and Saturn ; the upper by the heaven of the fixed stars(viii), the Crystalline heaven(ix) and the Empyrean(x). Motion is imparted to the heavens by the ninth sphere also known as *primum mobile*, such force being derived from the intelligences figured as eight choirs of angels. Beyond and outside yet embracing these is the tenth heaven, the seat of God, eternal and motionless, resting upon itself, outside the limits of space and time that are determined by the double rotation (daily and ecliptic) of the nine lower heavens.

It will be seen at once that there are some analogies between the Christian and the Buddhist heavens so far as their essential spiritual quality is concerned. Temporally and spatially, however, the *tenjô* (天上) appears to form an integral part of the *sangai* (三界) together with *jigoku* (地獄), *gaki* (餓鬼), *chikushô* (畜生), *shura* (修羅) and *ningen* (人間). Of the first only the

(26) De Sanctis, *Storia della Letteratura Italiana*. ch. vii.

shikkai-ten (色界天) to some extent, but more properly speaking the *mushikikaiten* (無色界天) who alone are timeless—correspond to the Christian heavens. On the other hand some of the characteristics determining the divisions e. g. the use of light in the place of language (*Kō-onten* 光音天 or 'pure consciousness' as in the *shikimuhensho* (識無邊處) are shared by the occupants of the ten heavens. The ultimate negation of thought and non-thought, a conception hardly possible to Western minds working on the basis of Aristotelian logic, is at the very antipodes of the state attained by the Blessed for whom the Beatific Vision is something intensely active, where all the natural and spiritual faculties are not destroyed but transfigured and transhumanized, a mystic rapture more akin to that experienced by those reborn in the Western Paradise, but on a wholly spiritual plane. Intellectualistic divisions such as those of the *shikkaiten* and *mushikikaiten* do not exist in the Christian Heaven, where perfect love and perfect knowledge become one and where spatial distinctions between the souls cease to exist.

Turning now to the other realms: that of the *chikushō* has no separate existence in Christian cosmology, while those of the *gaki* and *Shura* do not appear at all. The superstitious and semi-superstitious Mediaeval Christian beliefs in ghosts and disembodied spirits, in many cases a relic of paganism, correspond more closely to those held concerning some classes of *rishi* or *genii*,(27) moreover, for all their beauty and shining appearance

(27) The demon *rishis* of the legends are sometimes not unlike the evil spirits in the West. Demoniacal possession in the Far East, however, seems to differ considerably from that in the West where pre-Christian traditions were grafted upon the Christian belief in the reality of evil, and in the active warfare constantly being waged by Satan against the Lord and his anointed, that had its inception after the expulsion of the rebel angels from Heaven.

the *devas* are not counterparts of the angels except, perhaps in popular belief, since they too must die and be reborn.

Hell and Purgatory are the logical and mystical outcome of the Christian conception of the universe; the former is, indeed, coeternal with the world; in the words of Dante:

> Dinanzi a me non fur cose create,
> se non eterne, ed io eterno duro.

The nature of its structure, however, unlike that of Heaven, was not an ascertained scientific fact, founded upon sure astronomic bases. Dante was, it seems, the first to systematize the traditions held concerning it(28) and to devise a framework in accordance with a definite ethical scheme of crime and punishment, where the tortures suffered by sinners are not, as in most of his predecessors' and in Buddhist accounts, the inventions of a distempered and cruel imagination. With him, for the first time, Hell finds its justification in reason and justice as well as in faith:

> Giustizia mosse il mio alto Fattore;
> fecemi la divina Potestate,
> la somma Sapienza e il primo Amore.

The infernal regions in all accounts are situated in the centre of the earth, Hell forming like a great pit filled with flames, fire, sulphur, devils and lamentations, where the sinners are punished in different ways according to the nature and gravity of their misdeeds. Though it is divided into different regions it is one, nor are these distributed in space or differentiated by the length of duration of life, greater or lesser, as in the Buddhist

---

(28) q. v. Appendix, post.

ones. The latter's temporal character has often caused writers to call them purgatories rather than hells, a view which if one bears in mind the respective features of the Christian hell and purgatory cannot be accepted without demur. The descriptions of the Buddhist hells support the view that they are places of purgation only in so far as the punishments undergone there are the fruit of evil deeds previously committed the results of which will ultimately be exhausted; but while they teach a severe and practical lesson to the sinner, they do not appear, at the same time, to be designed to re-educate him positively to virtue — as is the case with the Catholic purgatory. Nor, given the Buddhist conception of sin and punishment, could it well be otherwise.

As has been pointed out by Vossler in his admirable study of the *Divine Comedy*(29) "the astronomico-theological light of the Paradiso casts the dazzling mirage of reality over the Dantesque construction of the Purgatorio and the Inferno." Dante's conception of the spiritual ascent of man towards God is, to use his own expression, 'pyramidal': starting from the apex (where desire is least), the desire for Him grows as man proceeds towards the base (Heaven).(30) Following a reverse process, the apex of the same pyramid, when inverted, represents instead the point farthest from God, that Dante places at the centre of the earth. A straight line drawn from there to any point beyond the nine heavens (at the centre of which the earth revolves) will lead to God conceived as an undetermined point

(29) Karl Vossler, *La Divina Commedia* studiata nelle sue genesi e interpretata. (Ital. trs. Bari, Laterza, 4 vols) v. 1, pt. 1. p. 255.
(30) *Convivio*, iv, 12.

in the tenth heaven. Lucifer, the greatest of all sinners, when cast out of Heaven was precipitated—since sin means separation from God—down to the centre of the earth which is also the lowest region of hell which progressively widens as it approaches the base of the pyramid situated under the surface of the earth, at the point were Jerusalem lies.(31)

Purgatory, the realm in which man accomplishes his task of purgation is materially as well as theologically conceived as the reverse of hell—as a mountain shaped like a cone instead of a pyramidal abyss, rising from the sea at the antipodes of Jerusalem. The extent to which Purgatory and Hell are closely connected in Dante's journey as they are in his mind and imagination, may be seen from the close structural parallelism between them. The former is the connecting link between the latter and Heaven, the means whereby the soul may purge and expiate its faults and so make itself worthy of rising to the contemplation of God. Of the three realms of the otherworld it alone is not eternal. In Hell sin binds the sinner and all action is merely instinctive and, at the lowest level, practically ceases, frozen up as it were, while in Purgatory physical and mental activity are purposive, the souls being spurred with increasing fervour upwards. As the spirit triumphs over the body the ascensional movement becomes more rapid, until the brief rest of the Earthly Paradise, which in its appearance, it may be added, sometimes recalls that of the Pure Land of Sukhavâti in the *Amida-kyô*; always bearing in mind that it represents a pause in the evolution of the soul not its ultimate

(31) It is interesting to note how Chinese (Buddhist) Hells accurately reproduce the judicial system of the terrestrial world.

aim. In the Buddhist cosmos there is no place for Purgatory, a conception that is essentially dependent upon Christian beliefs as to the nature and manner of salvation. Except for the vision of the Earthly Paradise it did not exercise the same influence upon the imagination of writers and artists as the other two realms while playing a very important part in establishing and confirming the reality of the spiritual communion between the living and those who have gone before.

It will be seen from the foregoing that, for all its triple division, the otherworld and all created things of the universe form a complete whole which Dante in poetry, like St. Thomas Aquinas in philosophy, supremely expressed. the one in his *Summa* the other in his *Commedia* Viewed from above as it were, Life and the process of salvation may be likened to a spiral path leading from God back to God, at every stage of which God is present. Adam's disobedience, like the rebel act of Shelley's Prometheus, was the source of incalculable woes to mankind, but the fruits of the knowledge of good and evil like that of the knowledge of fire, handed down by them to humanity could not be wiped out. After the Fall Man started out on his toilsome journey in search of God who had, by His 'virtue' infused in his sons, Adam and Christ, the perfection of human nature. All created things, mortal and immortal are-in the words of Dante :

> but each the beam
> Of that idea, which our Sovereign Sire
> Engendereth loving

the reflections of the Divine Idea, the word of God;

> for that lively light

Which passeth from His splendour. . . .
Doth, through His bounty, congregate itself,
Mirror'd, as 'twere, in new existences;
Itself unalterable, and ever one.
"Descending hence unto the lowest powers
Its energy so sinks, at last it makes
But brief contingencies; for so I name
Things generated, which the heavenly orbs
Moving, with seed or without seed, produce.
Their wax, and that which molds it, differ much:
And thence with lustre, more or less, it shows
The ideal stamp imprest. . . . (32)

The simple grandeur of such a conception of life and spiritual progress of which birth is the starting point, mortal life a brief chapter and death a moment; where the future life (whatever its nature and the ultimate destiny of the soul) does not materialistically and almost mechanistically depend upon the deeds accomplished upon this earth or in preceding existences, and is full of hope for the believer, as it was for the repentant thief,—has not, I believe, any true counterpart in the Buddhist scheme of salvation, whether Hinayana or Mahayana. Such likenesses as one may be inclined to see are mostly extrinsic and highly deceptive. It is a truism to say that East is East and West is West, but it is not true to add that they will never meet. The value of comparative studies lies, I believe, in discovering the bridge across which it is possible for each to communicate with the other, not in trying to confuse the issue

(32) *Divine Comedy*, Paradiso, Canto xiii, vv. 53—54, 54—69. (Carey's trs.)

by unprofitable comparisons, or deceptive analogies. Such an attitude, however, is not negative since it is only by understanding the different emphasis laid upon the otherworld and the conception of the holy in its relation to humanity and salvation that one may hope to estimate in some degree the part such ideas have had in the life of the individual and collectively as ethical and as aesthetic determinants of evolution. While in Mahayana Buddhism the transhumanization of the Buddha has largely lent efficacy to the saving power of his original vow, in Christianity salvation depends upon the fact that Christ came down to earth and was made man thus establishing that intimate personal communion between Himself and mankind and making it possible to raise it (with Him) from earth to Heaven.

Space forbids a detailed comparison of the *Ōjo Yoshû* with the Commedia, to some of the differences between which I have previously referred in the course of the present article. To set the two works side by side indeed, as representations of the other-world, would be doing Genshin an injustice and serve to no purpose. Nevertheless the two form an interesting and illuminating chapter in the comparative development and expression of eschatological beliefs, to be placed in relation with works of a similar nature in the Far East and the West, both in the field of painting and sculpture and in that of literature and, not least, with the fundamental doctrines of sin, retribution, the after-life and of the nature and possibility of salvation, as stated in the most important sutras (Hina-as well as Mahayana) on the one hand, and in the Old and New Testaments, and other relevant works on the other. The aim of the present study, incomplete though it be, has been to prepare the ground, in some

measure, for further investigation by trying to draw attention to the quality of some of the essential spiritual and religious attitudes found in early Japanese Buddhism and in Mediaeval Christianity.

Arundell del Re.

APPENDIX

NOTES on some of the more important Western works of literature or art inspired by or dealing with the otherworld.

A. *Literary and Devotional*

Christian visionary literature may be divided into three classes, according to whether the description takes (i) the form of a dream-vision proper, or is (ii) an account of the otherworld regions, or (iii) actually describes the visit of the writer to those regions. These divisions are somewhat arbitrary and, in many cases, do not affect the matter itself but only the presentation.

(i) Among the works in this class the following may be mentioned: *Pearl* (dream of the Earthly Paradise); Thomas of Erceldoune's prophecies (xvth c.) containing a vision of the roads to Heaven, Paradise, Purgatory and Hell, *Vision of the Monk of Evesham* (Lat. version early xiiith c.); *Vision of Thurkill* (Lat. xiiith c.); *Piers Plowman*, and the *Apocalypse* of St. John.

(ii) Of these as regards the influence exercised upon Mediaeval faith, drama and the arts—painting, sculpture, engraving, miniature—paintings, mosaics, MSS illuminations and stained-glass—the most important is perhaps the *Pseudo-Evangelium Nicodemi* The oldest extant MSS, in Latin and Coptic, go back to the Vth c., but part 2, which is also the most interesting

and influential is probably some centuries earlier. In it is described Christ's descent into Hades as told by Lucius and Carnius, the sons of Simeon, who came out of Hell with Christ. Although apocryphal, it was long considered an authoritative account of the nether regions the elements of which were subsequently used in the many versions of the 'Harrowing of Hell' Descriptions of the otherworld abound in homilies and sermons e g. in those of St. Anthony of Padua, of Pietro Damiano (59 th serm.) and in the latter's *Institutio Monialis* and were given by the Fathers of the Church, Eastern as well as Western. Among other works may be mentioned Henricus de Suso (pupil of Meister Eckhart), *Horologium aeternae sapientiae* · the *Speculum humanae salvationis*, translated into English in the XVth c.; Richard Rolle of Hampole's *Pricke of Conscience*, Guillaume de Guilleville's *Pèlerinage de l'Ame* and the very famous *De contemptu Mundi* by Pope Innocent III. All these authors graphically describe the torments of the damned. Though mention is also made of the heavenly regions, greater stress is laid upon Hell partly because it more easily lent itself to description and mainly because, as in the case of Buddhism—, -the latter was considered more valuable as a deterrent for sinners. German mysticism however, produced three saintly women (Mathilda von Magdeburg, Mathilda von Hackeborn and Gertrud von Eisleben) whose revelations describe the mystic joys of Paradise and the hopes of redemption.

(iii) The most widely known in this class are the *Vision of St Paul*, the original of which, in Greek, goes back to the IVth c.; the *Vision of Tundale*, a very elaborate account of the

otherworld, composed in 1149 and translated into many languages, noticeable for the differentiation of Hell, Purgatory, a sort of Earthly paradise, Paradise and Heaven and for a greater definiteness and precision in presenting the features of these various regions not previously found in such compositions; and *St Patrick's Purgatory* translated from the Latin and told in varying forms by many authors. To these may be added the *Pseudo-Apocalypse, of St Peter*, the pre-Christian visions found in the *Book of Enoch*, and that of Alberico da Montecassino who, as a boy of ten is conducted through the otherworld by the Apostles Peter and Paul. Here, however, as in 'the monachal Odyssey' known as the *Voyage of St. Brandan* (xith c.)—which includes a visit to Hell—the more purely devotional purpose of the work is being substituted by details suggested by a fantastic imagination, as may be seen in Raoul de Houdaing's *Songe d'Enfer* (XIIIth c.) in the *Kalendrier des Bergiers* (1st. ed.? 1493) and in the later very famous *Zodiacus Vitae* (canto. ix, Sagittarius) by Marcellus Palingenius (Pier Angelo Manzolli) first published in Venice in the early part of the XVIth c. and translated shortly after into English by Barnaby Googe.

The list given above makes no pretence at being complete but it may serve to give some idea of the extent to which eschatological ideas influenced literature in Western Europe during the Middle Ages and later. It is, indeed, in such works rather than in the *Divina Commedia* that one can best study the analogies existing between Buddhist and Christian conceptions of the otherworld. (cf. James Mew, *Traditional Aspects of Hell*, London, 1903, a useful work marred by the author's

irrepressible facetiousness, and Vossler's book on the *Commedia* previously mentioned). It would be impossible to give here a similar list of the most important works of art having eschatological significance or inspired by the Christian conceptions of the otherworld. So far as the actual representation of the latter is concerned, there are a few, certainly among those by great artists, where a deliberate attempt is made to represent graphically the three realms of Heaven, Purgatory and Hell. Such themes as the Last Judgment have been admirably treated by Luca Signorelli, Orcagna, and Michelangiolo, while the Harrowing of Hell has inspired some of the most beautiful work of Fra Angelico, Taddeo Gaddi, Simone Memmi, the stained windows of the church of St. Germain l'Auxerrois in Paris and the marvellous enamel work of the *Pala d'Oro* in St. Mark's at Venice. Paradise also, generally in connection with the Last Judgment, has had its painters but, as in the case of Hell, it has been rarely treated separately. The otherworld in Christian art is a subject of inspiration existing rather as a background indicated in various manners, an informing spirit the presence of which is felt in the nativities, crucifixions, resurrections and in other religious pictures representing the mysteries of the Christian Faith. The most vivid portrayals of Hell are found in the wood-engravings that illustrate some of the books I have mentioned above, few of which however, as in the similar productions in the Far East have any real artistic value. There is little in the West comparable to some of the superb emakimono of *Gigoku* or of *Gaki* beyond Holbein's *Dance of Death.*

昭和十二年四月十一日印刷
昭和十二年四月十五日發行

文學科研究年報（第三輯）

編輯兼發行者　臺北帝國大學文政學部

東京市神田區錦町三丁目十一番地
印刷者　白井赫太郎

發賣所　東京市神田區神保町二丁目
巖松堂書店
電話九段(33)〔四一三五・四一三六〕〔四一三七・四一三八〕
振替口座東京六五五六